野球データでやさしく学べる

Python
入門

齋藤 周

日本実業出版社

本書の構成

本書は、CHAPTER 1 〜 5 で構成されています。

CHAPTER 1　Pythonで何ができるの?

プログラミングはどのように役立つのか、プログラミング言語のなかでもPythonには特にどのような強みがあるのかを解説します。

CHAPTER 2　データからグラフを作成してみよう

円グラフ、棒グラフ、折れ線グラフ、ヒストグラム……などグラフ作成を実践形式で解説します。

CHAPTER 3　Pythonの基礎を学ぼう

コードの基礎を解説します。

CHAPTER 4　顧客データを分析してみよう

売上分析、集客分析、SNS分析の手法を解説します。

CHAPTER 5　データ分析を有効活用する「伝え方」

分析するだけで終わらず、分析結果を成果につなげる伝え方がわかります。

「プログラミング」── この言葉を聞いたとき、みなさんはどんなイメージが浮かびますか？

・興味はあるけれど、覚えるのは大変そうだし時間もかかりそう
・収入が高く魅力的だけど、理系じゃないとできなさそう
・何より難しそう…

このような印象を持つ方も多いのではないでしょうか。

一方、すでにプログラミングには触れていて「新たな知識を習得したい」と本書を手に取ってくださった方もいらっしゃるかもしれません。

本書は、野球データを使いながらCHAPTER 2ではグラフ作成を、CHAPTER 3ではPythonの基礎を、CHAPTER 4では経営に活きる分析手法を、そしてCHAPTER 5では分析結果の伝え方を解説しています。

データ分析の手法を初学者の方にも、すでにプログラミングに触れたことのある方にも楽しんでもらえるようにと執筆しました。本編に入る前に、次のページから本書の楽しみ方をご紹介します。

本書の楽しみ方

いきなりですが、1つのコードを示します。これは本書に登場するコードの例です。

さて、あなたは①〜③のどのタイプでしょうか?

```python
#球種名と各平均球速をリストに格納
x = ['ストレート', 'カット', 'スイーパー', 'カーブ', 'スプリット']
y = [Fastball['speed_km'].mean(), Cutter['speed_km'].mean(),Sweeper['speed_km'].mean(),
     Curve['speed_km'].mean(), Splitter['speed_km'].mean()]

#棒グラフの作成
plt.bar(x, y)
plt.title('球種ごとの平均球速')
plt.show()
```

❶コード自体を初めて見た
❷コードを見たことはあるが、意味はわからない
❸コードの意味までわかる

本書は野球データを通じてPythonのプログラミングを学習できる書籍ですが、①〜③のどのタイプの人でも楽しめるように作られています。

次のページから、それぞれの楽しみ方をご紹介します。

❶コード自体を初めて見た

　本書で初めてコードを目にしたという人は、先ほどのコードを見て、難しそうだと感じたかもしれません。

　そんな人でも、プログラミングに触れて実践しながら学習を進めることができるように執筆しました。

　プログラミングの学習方法にはいくつか方法がありますが、この本では特に手を動かしながら学ぶことを重要視しています。そのため、細かいところの意味はわからなくとも、まずはコードを書いて動かしながらプログラミングの楽しさを感じてみましょう。

　学習の進め方としては、まずCHAPTER 2に出てくるコードを見よう見まねで書いてみることから始めるとよいでしょう。

　お手本の通りにコードを書くとデータ分析が実行できるようになっており、数行程度の簡単なコードから徐々にレベルアップしていきます。

　プログラムを動かす楽しさを感じつつ、それぞれのコードがどのような意味を表しているのかも学んでいくことができると、さらに理解が深まります！

❷コードを見たことはあるが意味はわからない

コードを見たことはあっても、その意味まではわからないという人は、本書でさまざまな種類のデータ分析を実践しながらそれぞれのコードの意味を学んでいくことができます。

学習の進め方としては、CHAPTER 2やCHAPTER 4に出てくるデータ分析の事例を実行しながらコードの意味を学んでみてください。
具体的には、コードの後に記載した「コードの解説」をもとにコードのどの部分が何を表しているのかを理解していきましょう。

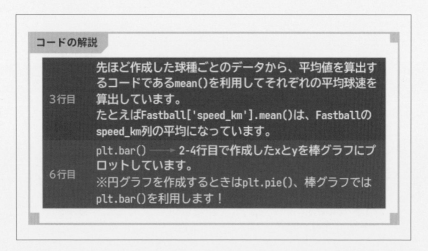

コードの解説

| 3行目 | 先ほど作成した球種ごとのデータから、平均値を算出するコードであるmean()を利用してそれぞれの平均球速を算出しています。
たとえばFastball['speed_km'].mean()は、Fastballのspeed_km列の平均になっています。 |
| 6行目 | plt.bar() ──▶ 2-4行目で作成したxとyを棒グラフにプロットしています。
※円グラフを作成するときはplt.pie()、棒グラフではplt.bar()を利用します！ |

慣れてきたら少しずつ自分でコードを書き換えてみると、よりコードの意味や書き方がわかってくるのでオススメです！

❸ コードの意味までわかる

　コードの意味までわかるという人にも楽しんでもらえるよう、野球データを用いたグラフ作成などの基本的な分析だけでなく、売上・集客・SNSなどのビジネスにつながる分析も解説しました。

　また、よりビジネスの現場でプログラミングを活かすことができるよう、CHAPTER 5では私がこれまで工夫しながら編み出した「伝え方」についても紹介しています。

　学習の進め方としては、CHAPTER 4のビジネスに関連するデータ分析のケーススタディを実行しながら、プログラミングの活用方法を学んでみてください。

　新しい切り口で分析を深めたり、自分のビジネスに活かすための方法を考えたりしながら学習を進めていくと、より効果的にプログラミングを身につけることができるでしょう。

プロローグ

　私がプログラミングの世界に飛び込んだきっかけは、ごく些細なことでした。

　これからITがますます世界を変えていくのではないかという漠然とした直感と、社会に出ても役立つようなスキルを身につけておきたいという曖昧な将来への戦略。

　それが私のプログラミングへのはじめの一歩でした。

　しかし、実際に始めてみるとそこは想像以上に険しい道でした。

　エラーの山、解決策の見当もつかない複雑な問題……。プログラミングの世界はまさに未知との遭遇であり、何度も「あきらめ」の4文字がちらつきました。

　それでもなんとか書籍やWebサイトを通してプログラミングの学習を続けているなか、当時所属していた東京大学野球部のデータ分析にプログラミングを活用することを思いつきました。

　それまでも相手チームのデータ分析は行なわれていたのですが、大人数で役割を分担し、人海戦術でデータを集めて分析するという仕組みをとっていました。

　しかし、プログラミングを活用すればこの手間が一気に効率化できるのではないかと考えたのです。

　ここが大きなターニングポイントでした。

Pythonを学ぶ動機が「所属する野球部のデータ活用のため」と
はっきり定まったのです。

　そこからはプログラミング学習の方法もガラッと変わりました。
それまでは書籍やWebサイトで教科書的に学習していましたが、手
を動かして作りたいものを作りながら、わからないところを調べて
学んでいく、というスタイルに変化しました。
　すると、プログラミング学習のスピードも一気に上がり、気づけ
ばデータ分析を自動で行なうアプリケーションを自力で開発してい
ました。
　2年前に知識ゼロからスタートしたことを思えば、大きな進歩で
す。このような経験を評価していただき、私は小さい頃の夢であっ
たプロ野球の世界で働くことになりました。

　これらの経験を経て、私は2つの大きな発見がありました。
　1つ目は、プログラミング学習は多くの場合、教科書のように網
羅的に進みますが、実は私のようなまったくの初心者が最初の一歩
を踏み出すには、手を動かしながら実践的に学ぶほうが効率的だと
いうことです。
　もちろんこのやり方では、分野Aについてはとても詳しいけれど
分野Bについてはほとんどわからない、といったような知識の偏り
が発生します。
　しかし、プログラミングの用途はアプリ開発、Webサイト作成、
データ分析、ロボット制御、AI開発などと多岐にわたって存在して
おり、医者に専門分野があるようにエンジニアにも専門分野があり
ます。

すべてを理解する必要はありません。新しい分野の知識を身につける必要があれば、また手を動かしながら、学んでいけば良いのです。

　したがって、初心者の第一歩としては、はじめから完璧に理解しようとするよりも、実際に「手を動かしてみる」ことが学習の鍵になると考えています。

　2つ目の発見は、関心のあるトピックだとプログラミング学習のスピードも一気に上がるということです。

　私の場合は学習に使う題材が野球のデータになったことで、一般的な書籍やWebサイトで学んでいたときよりも、さまざまな困難に対しても根気強く対応できるようになりました。

　たとえば競馬好きの人であれば競馬予測を行なうプログラムを作成することを目標にしても良いでしょうし、ラーメン好きの人であれば食べたラーメンを記録していくアプリの開発を目標にするのもありでしょう。

　いずれにしても学習を始めてすぐの頃は、コードの理解やエラー対応など忍耐力を必要とします。そのため、興味のあるトピックでないとなかなか学習が続かないのです。

こうした発見をもとに作られたのが、この本です。

「挫折しにくい」をキーワードに、まずは手を動かしながら学ぶことに焦点を当てた内容になっています。さらに大谷翔平選手など野球のデータを題材に学習できるため、野球が好きな人にとっては関心のあるトピックを通して力をつけていくことができます。

私自身、学習の初期には苦労しましたが、それぞれの小さな成功体験が積み重なり、やがて自信へと変わっていきました。本書があなたにとってそのような成功体験のきっかけとなれば、これ以上の喜びはありません。

最後に、この本を手に取ったあなたに、たった1つお願いがあります。完璧を目指さずに、まずは「やってみる」こと。それが学習の鍵であり、プログラミングの楽しさを発見する第一歩です。

さあ、これからPythonを学ぶ旅に一緒に出かけましょう。

これは、単なるプログラミング学習の本ではありません。これはあなたがプログラミングをとおして新しい世界を創造するための旅の始まりなのです。

2023年12月　齋藤 周

ブックデザイン

風間篤士（株式会社リブロワークス）

DTP

リブロワークス・デザイン室

編集協力

今泉 拓

野球データでやさしく学べる

Python
入門

CONTENTS

本書の構成

本書の楽しみ方

プロローグ

CHAPTER
3 Pythonの基礎を学ぼう

CHAPTER
4 顧客データを分析してみよう

^{CHAPTER}
5 データ分析を
有効活用する「伝え方」

Pythonで
何ができるの？

ここでは、データ分析が役立つ局面と、データ分析を
Pythonで行なうメリットを、データ分析初心者だっ
た私が、データアナリストになった経緯とあわせてご
紹介します。

1-1 東大野球部の連敗を止めたデータ分析

 ##「データ分析」との出会い

私は東京大学に在学中、データアナリストとして硬式野球部に所属していました。

東大野球部といえば、大型連敗のニュースを耳にしたことがあるかもしれません。

高校野球がトーナメント戦なのに対し、大学野球はリーグ戦形式での試合がメインです。東大野球部は、全国でもっとも長い歴史を持つ東京六大学野球連盟に所属しています。

同じリーグに所属する大学は、全国大会での優勝回数が最多である法政大学、優勝回数2位の明治大学、4位の早稲田大学など、国内有数の強豪ばかり。野球の能力で進路を決めてきた野球エリートたちに対し、学力で試験を突破してきた東大生が野球で勝つのは決して簡単ではありません。

私の代も例外ではありませんでした。

大学3年まで、リーグ戦での勝ち星は0。このままでは、勝利を経験しないまま卒業、という状況まで追い込まれていました。

そんななか、藁にもすがる思いで目をつけたのが「データ分析」でした。

というのも、日本プロ野球では2015年以降「トラックマン」という、投球の回転数や変化量、打球の速度や角度などさまざまなデータが取得できる機械を導入する球団が現れ、野球界にもいわゆるビッグデータの波が到来し始めていました。

　野球の技術面では他大学に劣る。普通にまともにぶつかっても勝てない。どうやったら突破口が見つかるのか、勝つ方法を必死に探した結果、「データ分析」という新しい分野で先行者利益を取りに行かない手はないと考えました。

　そこで「東大野球部DX計画」と称し、データ分析に本格的に取り組み始めたのです。

 ## データ分析が役立つ3つの局面

　ただし、私はもともとデータ分析の経験があったわけでも、パソコン操作が得意だったわけでもありません。正直なところ「Excelがやっと」というレベルでした。

　そのため、データ分析も最初は手探り状態でした。

　それでも東大野球部で勝利を経験したい一心で、ひたすら手を動かしてデータ分析を続けていると、やがてデータ分析が役立つ3つの局面が見えてきたのです。野球のみならず、さまざまな場面にあてはまると思うので、ここでも詳しく紹介します。

①目標設定
　目標設定とは、企業におけるKPIのことです。

　ここでは、抽象度の高い目標を細分化し、具体的な目標まで下ろしてくる際にデータ分析が役立ちます。

　たとえば「次のリーグ戦で優勝する」という目標を立てたとしましょう。

　過去のデータを遡って優勝チームの得失点について調べると、「平均得点〇〇以上＆平均失点〇〇以下」といった目標が見えてきます。

　さらに得点とヒットの関係性を調べることで、「1試合あたりヒット〇本」という目標に落とし込むことができます。

　このように目標の解像度を上げたり、数字を使って定量化したりしていくことで、チームや個人のやるべきことがおのずと見えてきます。

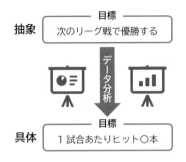

②進行状況の可視化

　目標達成のプロセスには時間がかかります。目標が形骸化しないよう、常に進捗状況を把握できる環境づくりが重要です。そしてこの、設定した目標に対する進捗の把握に、データ分析が役立ちます。

　たとえば、リーグ戦前の練習試合での総ヒット数について、目標と現時点での達成度をグラフ化し、みんなの目につくように寮の食堂に張り出していました。

③振り返り

　振り返りとは、目標の達成度をデータで定量的に評価し、次のサイクルに向けて課題を洗い出すことです。
　目標が達成できた場合も、そうでない場合も、細かく見てみると、よかった点と悪かった点がそれぞれあるはずです。

そのため、個別にきちんと評価するようにしていました。

この振り返りをしっかりやっておくことで、「ヒット数は目標に達しなかったものの盗塁でカバーできたから、得点数は目標に達した」とか、「これだけ盗塁が増えれば相手は警戒してくるので、次はヒットを増やすことに注力しよう」など、次のサイクルで目標を設定する際の精度向上につながってきます。

データ分析の主な用途が、①目標設定、②進行状況の可視化、③振り返り、の3つに集約されることがわかってからは、①～③のサイクルでデータを活用し、「東大野球部DX計画」を進めていきました。

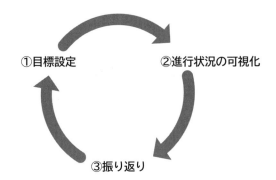

①目標設定　②進行状況の可視化　③振り返り

ついに連敗が止まる

そして臨んだ春季リーグ、未勝利のまま迎えた最終戦で、ついにその時が来ました。

最多の全国優勝回数を誇る法政大学を相手に2対0で勝利し、64まで積み上がった連敗を止めることができたのです。

これはひとえに選手たちの努力の賜物ですが、データ分析という観点から多少なりとも貢献できたことは最高の喜びでした。

データを使って目標を細分化していくことで、目指すべき方向性が明確になり、個々の努力を成果に結びつけやすくなります。

1

またデータという共通言語ができることで、組織全体のビジョンや戦略を共有することができます。

　このようにして個人個人とチーム全体の両方に対し、レベルアップをサポートできるのがデータ分析の魅力です。

①目標設定、②進行状況の可視化、③振り返りの３つは、ビジネスにおいても
有効なデータ分析のサイクルです

1-2 プロ野球で活用される データ分析

各球団に置かれる「アナリスト」

　東大を卒業した後、私は福岡ソフトバンクホークスというプロ野球チームでデータ分析を担当しています。

　最近では、スポーツの分野でデータ分析を行なう「スポーツアナリスト」と呼ばれる人たちが増えており、プロ野球でも各球団にそれぞれデータ分析の担当者を置いています。

　野球のデータ分析といってもなかなかイメージがつきづらいかもしれませんが、プロ野球でデータを活用する場面として大きく、①編成、②育成、③戦術の３つが挙げられます。

活用ケース①編成

　１つ目の編成とは、チームに選手を集める仕事です。

　獲得する選手や放出する選手を判断する際には、データによる分析が欠かせません。

　以前、ブラッド・ピットの主演で映画化されて話題となった『マネー・ボール』では、主にこの編成面でデータを活用することで、資金の乏しい弱小球団が強豪チームへと変貌していった実話が描かれています。

活用ケース②育成

2つ目の育成とは、自軍の選手を強化する仕事です。

入団時からすでに1軍で活躍できる能力を持った選手はほとんどいませんから、獲得した選手を育てていくことが必要です。そのために、克服すべき課題を洗い出したり、身体の使い方を分析してフォームの改善のサポートをしたり、といった場面でデータが活用されています。

計測機器の発展などにより、特に近年この育成面でデータ分析によるアプローチの重要度が高まってきています。

 ## 活用ケース③戦術

3つ目の戦術とは、試合における作戦や選手起用を最適化する仕事です。

たとえば投手であれば、相手打者の苦手なコースや球種の把握、打者であれば狙い球の設定、そして首脳陣の選手起用などにもデータが活用されています。

メジャーリーグではデータ分析によるアプローチが発展するにつれて、統計的にあまり有効でないとされる送りバントの数が大きく減少したことが知られています。

 野球界を含めたさまざまなスポーツで
データ分析によるアプローチの
重要性が高まっています

1-3 Python とは？

人間とコンピューターをつなぐプログラミング

コンピューターは、私たちの生活のあらゆる面で活躍しています。それらのコンピューターを動かす際に必要な「プログラム」という指示書を書く際に必要なのが、プログラミング言語です。このプログラミング言語は、人間の言葉とコンピューターの言葉をつなぐ役割を持っています。

現代のコンピューター技術の世界では、多くの問題やタスクを解決するために、さまざまなプログラミング言語が存在しています。これらの言語は、それぞれ特有の特徴や強みを持ち、異なる用途や目的に合わせて開発されています。たとえば、Webアプリケーションを開発する場合には「JavaScript」や「Ruby on Rails」がよく使われ、システム開発やゲーム開発では「C++」や「Java」が採用されることが多いです。また、データベースの操作に特化した言語として「SQL」があり、統計分析やデータ解析の分野では「R」が知られています。

プログラミング言語	用途・目的
「JavaScript」「Ruby on Rails」	Webアプリケーション開発
「C++」「Java」	システム開発・ゲーム開発
「SQL」	データベースの操作
「R」	統計分析・データ解析
「Python」	Webアプリケーション開発・データ分析・人工知能の研究

汎用性が高く、世界中で利用される Python

そのなかで、ここ数年の間に注目を集めているのが「Python」です。

Pythonは、1991年にグイド・ヴァンロッサムによって発表されました。そのシンプルで読みやすい文法から、初心者にとっても学びやすいことが知られています。

さらにPythonは幅広い用途に利用される汎用性の高いプログラミング言語で、Webアプリケーションからデータ分析、人工知能の研究まで、幅広い分野で活用されています。

汎用性が高い理由は、Pythonには、「ライブラリ」と呼ばれる、便利なツールがたくさんあるからです。

「ライブラリ」の例としては、「pandas」や「NumPy」は、データを分析するのに役立つツールです。そして、「TensorFlow」や「scikit-learn」は、人工知能や機械学習のプログラムを作るのに使われます。これらのツールを使えば、難しいプログラムも簡単に作ることができます。

現在、世界中で多くのユーザーがPythonを利用しており、Pythonに関する情報はインターネット上にもたくさんあります。

プログラミングをする際には、作りたい機能を実装するための方法やエラー処理の方法などを、幾度となくインターネットで調べることになります。そのため、たくさんのユーザーがいて多くの情報が共有されていることは、自分のプログラムを改良したり新しいことを学んだりするうえで非常に大きなアドバンテージとなるのです。

汎用性の高いPythonを
この本で学んでいきましょう！

1-4 Pythonはどこで役立っているの？

 ## データ分析

インターネットの普及とデジタルデバイスの進化により、現代社会では毎日膨大な量のデータが生成されています。この情報の山から価値ある知見を引き出すためには、データを分析して知見を理解するスキルが必要になります。

データ分析によって得られた知見は、私たちが直面している問題を解決し、新たな価値を創出するための鍵となるため、あらゆる分野でその重要性が高まっています。

Pythonを利用することで、データを効率よく処理し、分析結果を視覚的にわかりやすいように表現することができます。そのため、Pythonはデータ分析の領域で大きな役割を果たしています。

具体的には、顧客の購買行動を分析するケースや、医療分野で患者のデータを分析するケース、金融分野で取引の履歴を分析するケースなど、分野をまたいでデータ分析が活用されています。

Python の役割

購買行動の分析

患者のデータの
分析

金融取引履歴の
分析

AI・機械学習

　収集されたデータを活用していくためには、単に計算したり可視化したりするだけでなく、たくさんのデータの中からパターンを見つけ出すことが有効です。

　そこで用いられるのが機械学習と呼ばれる技術で、大量のデータの中から規則性や関係性を見抜き、予測や判断を行なうことができます。

　AIが予測や意思決定を行なう際には、この機械学習が頻繁に利用されています。そして、AIや機械学習の領域もPythonの力が大いに発揮されています。

　Pythonに用意されているライブラリを使用すると、複雑なアルゴリズムや数学的な知識がなくても基本的な機械学習のモデルを構築することができます。

　AIや機械学習が用いられている身近な例としては、写真に写っている人の顔を認識する機能や、SNSなどでおすすめのコンテンツを紹介する機能、人間の指示に対してチャットで応答する機能などがあります。

　AIや機械学習と聞くとなんだか難しそうですが、じつは身の回りのさまざまな場面で使われているのです。

AIや機械学習を用いる

人の顔を認識する

おすすめコンテンツ
紹介

チャットで
応答する

 Webアプリケーション開発

　Webアプリケーションの開発においても、Pythonを使用することがあります。

　PythonではFlaskやDjangoといった、Webアプリ開発のための人気のフレームワークが提供されているのです。

　実際にPythonを用いて開発されたWebアプリの例としては、YouTubeやInstagram、Spotifyなどがあります。こうした世界中で使われるアプリもPythonで開発できると考えると、その可能性に胸がワクワクしてきませんか？

 ## 作業の自動化・効率化

　Pythonを使用して、ファイルの管理、スクレイピング（Webやデータベースを広く探って特定の情報を抽出する手法のこと）、データの整理など、日常の繁雑な作業を自動化することもできます。

　たとえば、特定のフォルダにあるファイルを自動的に整理したり、定期的に特定のウェブサイトから情報を取得したりするプログラムを作成できます。

　Pythonを使いこなすことで細かい作業などを自動化し、短時間でより多くの成果を出せるようになるのです！

Pythonを学ぶことで
あなたの可能性が広がります！

1-5 データ分析×Python で何ができるの？

 ## データ分析でPythonを使うメリット

データ分析はさまざまな場面で活用されていますが、数字の集計やグラフの作成はエクセル上でも十分可能です。

では、データ分析にプログラミングを利用することのメリットにはどのようなものがあるのでしょうか？

私は大きく、次の3つのメリットがあると考えています。

メリット①再利用

1つ目のメリットは、一度作成したプログラムを何度でも再利用できることです。

定型的な分析を継続して行なう場合や複数のデータに対して同じような処理を行なう場合、プログラムを使わないとなると毎回同じような作業が生じてしまいます。

しかし、プログラムを利用すれば、ほとんど手間をかけずに再び分析することができるのです。

さらに、エンジニアの間では作成したプログラムや発生したエラーなどを共有する文化があるため、インターネット上で似たような分析をしている人のプログラムが見つかることも多いです。

このようにプログラミングを活用する利点は、自分で書いたものはもちろん他の人が作成したプログラムさえも再利用できることです。

メリット②ライブラリ

　２つ目のメリットは、データ分析のためのライブラリが豊富なことです。ライブラリとは、よく使われるプログラムをまとめて簡単に使えるようにしたパッケージのことです。

　データ分析によく使われるPythonやRといったプログラミング言語では、データ分析のためのライブラリが豊富に用意されているため、わずか数行書くだけでもさまざまな分析を実行することができます。

　また、ライブラリを用いてデータをビジュアライズする際に、カスタマイズできる部分が多いことも魅力的です。

　グラフの種類や色、軸などを自由に調整できるため、分析結果を伝える際にわかりやすい資料を作成することができます。

メリット③効率化

　３つ目のメリットは、大規模なデータ処理が効率的にできることです。

　近年では「ビッグデータ」という言葉もよく耳にしますが、ネットワークやデバイスの高度化により、さまざまな分野で大量のデータが取得できるようになっています。

　たとえば、エクセルのファイルの中から欠損値を発見して処理したい場合、データが小規模であれば手作業でも可能ですが、何十万行もあるような大規模なデータの場合には不可能です。

　そのため、データ量が増えるにつれてプログラミングが必要不可欠になってくるのです。

再利用でき、わかりやすい資料が作成でき、
効率化を図ることができる
プログラミングを学んでいきましょう！

1人の新卒就活生がプロ野球データ分析担当になるまで

プロ野球界はまったく考えていなかった就職活動

　私はもともと、プロ野球界に就職することはまったく考えていませんでした。プロ野球のデータ分析系の求人なんて見たことなかったですし、自分にその能力があるとも思っていなかったので、そもそも選択肢に入っていなかったのです。

　理系の学部だったため周りは大学院に進む人がほとんどでしたが、早く社会に出たかったこともあり、就職活動をしました。

　少し話が逸れますが、コロナ禍では「エッセンシャルワーカー」という言葉をよく聞きました。医療やインフラ、政治など人々の生活になくてはならない仕事についている人々のことです。

　私はコロナ禍を経てこうした「エッセンシャル」な分野で世の中の役に立ちたいなと感じていました。農学部に進んだ理由も環境について学ぶためだったこともあり、医療・環境・政治の3つの分野に取り組みたいと思いました。

　また、もともと少し起業に興味があったので、これらの分野に取り組む会社を作れたらいいな、と考えていたのです。

　そのためにも、まずは優れた企業文化をもつ会社に入りたい！と思い、就職先を探しました。

　就職活動を始めてからは、いろいろな企業を受けて、落ちたり受かったりしていたわけですが、最終的に就職しようと思った会社との縁は意外なものでした。

当時は野球部のデータ分析にプログラミングを使いたかったこともあり、プログラミングの技術を競う「競技プログラミング」なるものを勉強していたのですが、そこでたまたまコンテストに入賞し、エンジニアとしてのオファーが来たのです。

　初めはその会社に就職するつもりはなかったのですが、オファーをきっかけにその企業に興味をもち、最終的には就職することに決めました。大学3年生の2月ごろのことです。

プロ野球界を目指したきっかけ

　就職先も決まり、大学の単位も残りは卒業論文のみとなったので、そこからは野球に携わる残りわずかな時間を悔いのないものにしようと思いました。

　そして迎えた5月23日。私にとって人生を大きく変える出来事がありました。

　六大学春季リーグの最終戦で法政に2対0で勝ち、入部当初から続いていた連敗が64で止まったのです。チームメイトは涙を流し、神宮球場の観客のみなさんや関係者の方々が喜んでくださいました。

　このときにぼくは、「エッセンシャル」でないものの価値に気づくことができました。「エッセンシャル」なものは誰にとっても必要不可欠ですから、基本的に楽しんだり感動したりする対象ではありません。

　しかし野球は何万円もする木の棒で小さな球を飛ばし、それを何万円もする手袋で捕るという、このうえなく「不要不急」な営みだからこそ、人は楽しんだり感動したりできるんだな、と思ったのです。

　これがきっかけで、具体的なビジョンは正直まだあまりなかったのですが、自分のなかで明確にプロ野球界への就職を意識するようになりました。

福岡ソフトバンクホークスとの契約

　5月に六大学の春季リーグが終わってから、プロ野球の世界を本気で意識し始めたものの、一般に求人が出ているわけではありません。そもそも自分が希望するようなデータ分析の仕事が存在するかどうかも不明でした。

　片っ端からプロ野球の球団に電話をかけてみようかなとも思いましたが、球団から声がかかるくらいにならなきゃダメだと考え、まずは球団の方に認知してもらえるように発信にも力を入れ始めました。

　そんなある日、野球部宛に1本の電話がかかってきました。

　部のマネージャーから連絡をもらい、教えてもらった番号に折り返し電話をしたところ、お相手は福岡ソフトバンクホークスの方で、来年からうちで働かないかというオファーでした。

　のちに聞いたところによると、X（Twitter）やnoteでの発信が運よく球団の方の目にとまり、ご連絡していただけたとのことでした。

　本当に突然の出来事でしたが、こんな形で私の「プロ野球界で働きたい」という夢は現実のものとなりました。一見関係なさそうなプログラミングやデータ分析のおかげで、あこがれの世界に入ることができたのです。

データからグラフを
作成してみよう

いよいよPythonで分析をしていきます！

ここで、1つお願いがあります。それは、"まずは、とにかく
コードを書いて、グラフの作成を進めてみること"。

初めてPythonを学習する人にとっては、ハードルが高いと
感じるコードがあるかもしれませんが、まずは真似をして、
書いて、実行してみてください。グラフを作成する喜びを、
ここでは一緒に味わいましょう。

2-1 分析に必要な知識の習得

Google Colaboratory にアクセスする

　本書でデータ分析を行なっていく際には、Google Colaboratory（以下Colab）を利用します。

　ColabはGoogle社が提供している、ブラウザ上でPythonを実行できるサービスです。

　Colabでは環境構築がほとんど必要ないため、初心者が学習する際に向いています。

　さっそく以下のリンクからColabにアクセスしてみましょう！

| Colab 🔍 | https://colab.research.google.com/?hl=ja |

Google Colaboratory を使ってみよう

　Colabにアクセスすると次のような画面になります。

　左上の「ファイル」から「ノートブックを新規作成」をクリックしましょう。

　Googleアカウントへのログインが必要になるので、画面に表示が出てログインすると利用することができます。

「Hello,World!」を表示してみよう

　新しいノートブックが作成できたら、使い方を学んでいきましょう。

　まずは1番上のセルに、「print('Hello, World!')」と記述してみてください。

　ちなみに画面に「Hello, World!」と表示するプログラムは、プログラミング言語を学ぶときの最初の一歩として、あるいはプログラミング言語のインストール後の動作確認として定番です。

　次に、記述したプログラムを実行します。

　実行する際には Shift ＋ Enter を押します。これ以降も、コードを記述したら Shift ＋ Enter で実行してください。

以下のように「Hello, World!」と表示されれば成功です！

>>> CHECK! >>>

print関数

⇒文字列や数値などを画面に出力する関数のことです

<<<<<<<<<<<<<<<<<<<<<<<<<<<<<<<<<<<<<<<<<<<<<<<<<<<<<<<<<<<<<<<<<<<<<<<<<<<<<<<<<<<<<<<<<

 ## データを取得する

　Colabの使い方がわかったら、実際に今回の分析で使用するデータを取得してみましょう。

　print('Hello, World!') と記述したセルの次のセルに、以下のコードを記述してみてください。

```
! pip install pybaseball
from pybaseball import statcast
```

　何やらたくさんの英語の文字が出てきたのではないでしょうか。

　1番下に「Successfully installed Deprecated-1.2.13 pybaseball-2.2.5 pygithub-1.58.1 pyjwt-2.6.0 pynacl-1.5.0」などと書かれていれば成功です！

　ERRORなどが出てしまった人は、コードを書き間違えていないかもう一度確認してみてくださいね。

pip

⇒パッケージを管理するためのツールです

pip install

⇒インターネットを経由したインストールが簡単にできます

from A import B

⇒AというパッケージからBというモジュールを取り込みます

<<<<<<<<<<<<<<<<<<<<<<<<<<<<<<<<<<<<<<<<<<<<<<<<<<<<<<<<<<<<<<<<<<<<<<<<<

うまく実行できたら、次は実際にデータを取得していきます。

　ここでは、2022年の大谷翔平選手の投球データを題材に分析を進めていくので、まずは2022年のメジャーリーグ全体のデータを入手します。

　このときに実行するのは以下のコードです。

```
data = statcast(start_dt='2022-04-01', end_dt='2022-09-30')
data.head()
```

　うまくいくと、次ページのような画面になるはずです。

　左下のパーセンテージが100%になったら、2022年のメジャーリーグ全体のデータを入手できたことになります。100%になるまで時間が数分かかると思うので、焦らずお待ちください。

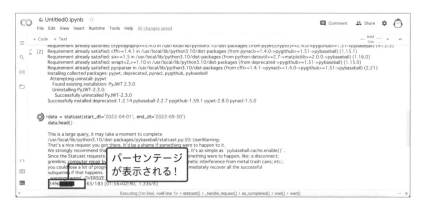

CHECK!

data = statcast
⇒statcast（メジャーリーグのデータを収集するシステム）のデータを取得して、dataと名づけています
head()
⇒データの先頭の行を表示するために使用します

データを取り出す

　次に大谷選手のデータだけを取り出してみます。以下のコードを実行してみてください。

```
data_ohtani = data[data['player_name']=='Ohtani, Shohei']
data_ohtani.to_csv('2022_Ohtani.csv')
data_ohtani.head()
```

　うまくいけば、次のようにデータが表示されるはずです。表示されなかった場合はスペルミス等がないかチェックしてみてください。
　特に1行目の「Shohei」と「Ohtani」の間に、「,」と半角スペースが必要なので、忘れずに記入しましょう。

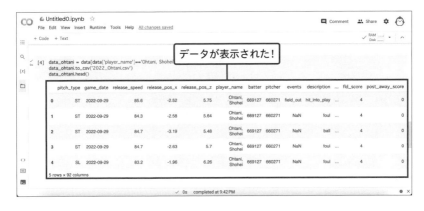

>>>>>>>>>>>>>>>>>>>>>>>>>>>>>>>>>>>>>> **CHECK!** >>>>>>>>>>>>>>>>>>>>>>>>>>>>>>>>>>>>

to_csv

⇒ データを CSV ファイルとして出力しています

<<<<<<<<<<<<<<<<<<<<<<<<<<<<<<<<<<<<<<<<<<<<<<<<<<<<<<<<<<<<<<<<<<<<<<<<<<<<<<<

 ## データをダウンロードする

　大谷選手のデータ取得まで終わったら、今後の分析で使えるようにデータを手元にダウンロードします。

　画面の左側にある四角いファイルボタンを押すと、ファイルの選択画面を開くことができます。

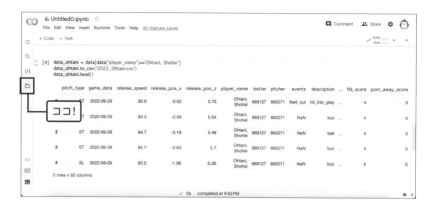

ファイルの選択画面を開くと「2022_Ohtani.csv」というファイルが作成できているはずです。

このファイル名の上にマウスポインターを置くと、右側に出現する点が3つ縦に並んだボタンを押し、メニューの中から「ダウンロード」を選択してください。

これで自分の手元に2022年の大谷選手の投球データをダウンロードできました！

これで分析のための準備は完了です！
ここからは今回取得したデータを利用し、
実際に分析を進めていきましょう！

2-2 投球の球種割合を表す円グラフ

円グラフを作成してみましょう!

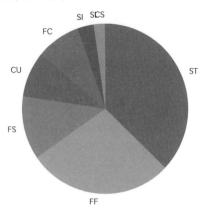

データをアップロードする

初めに、新しいノートブックを作成します。まずは、左側にあるファイルボタンを押してください。

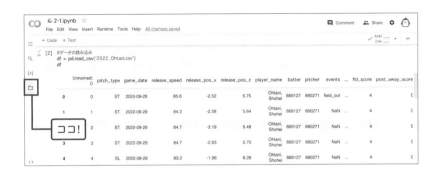

ファイルボタンを押して少し待つと以下のような画面になるので、次にファイルのアップロードボタンを押します。

ボタンを押すと、ファイルの選択画面になるので、前回ダウンロードした2022年の大谷翔平選手の投球データを選択しましょう。

アップロード時に「アップロードしたファイルはランタイムのリサイクル時に削除されます」といった注意表示が出る場合がありますが、これは特に問題ないので「OK」を選択してください。
　これでデータのアップロードは完了です！

　この操作は今後の分析でも毎回必要になるので、やり方を覚えておいてくださいね！

 ## モジュールをインポートする

　さて、ここからはいよいよ実際にデータからグラフを作成する練習をしていきましょう。ここでは、各球種をどのくらいの割合で投げているかを分析するために、円グラフを作成します。

　まずは、1番上のセルに、次のコードを書いてみてください。
　このコードで今回のグラフ作成に必要な「モジュール（要素）」をインポート（取り込み）します。

```
#モジュールのインポート
! pip install japanize_matplotlib
import japanize_matplotlib
import pandas as pd
import matplotlib.pyplot as plt
```

コードが書けたら、さっそく実行してみましょう。コードの実行は
Shift + Enter でしたね。

>>>>>>>>>>>>>>>>>>>>>>>>>>>>>>>>>>> **CHECK!** >>>>>>>>>>>>>>>>>>>>>>>>>>>>>>>>>>>

import
⇒ライブラリやモジュールをプログラムに取り込む命令です
<<<<<<<<<<<<<<<<<<<<<<<<<<<<<<<<<<<<<<<<<<<<<<<<<<<<<<<<<<<<<<<<<<<<<<<<<<<<

実行した際に赤文字でERRORの表記が出た場合には、どこかに書き間
違いがあります。どこでエラーが出ているか教えてくれることが多いの
で、その付近を重点的にチェックしてみましょう。

コードの解説		
3行目	japanize_matplotlib ──→	図表内で日本語を使用する
4行目	pandas ──→	csvファイルを扱う
4行目	import pandas as pd →「このプログラム内ではpandasというモジュールをpdという名前で使います」という意味の文	
5行目	matplotlib ──→	図表を作成する

 ## データを読み込む

1つ目のセルが問題なく実行できたら、次はアップロードしたcsvファ
イルを読み込んでいきます。

2つ目のセルに次のコードを書いて実行してください。

このとき「ファイル名」と書かれているところを「2022_Ohtani. csv」など自分がアップロードしたcsvファイルの名前に書き換えるのがポイントです。

```
#データの読み込み
df = pd.read_csv('ファイル名')
df
```

うまく実行できれば下のような画面になるはずです。これでアップロードしたファイルの読み込みは完了しました。

もしもうまくいかない場合は、①ミスなく書き写しているか、②csvファイルはアップロードできているか、③ファイル名が正しく書き換えられているか、の3点をチェックしてみてください。

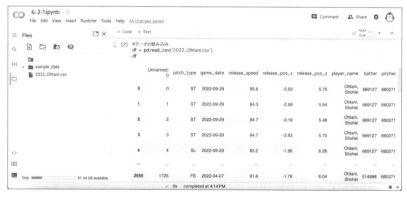

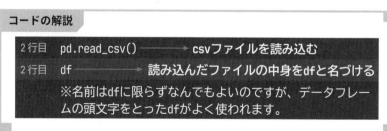

コードの解説

| 2行目 | pd.read_csv() | → | csvファイルを読み込む |
| 2行目 | df | → | 読み込んだファイルの中身をdfと名づける |

※名前はdfに限らずなんでもよいのですが、データフレームの頭文字をとったdfがよく使われます。

円グラフを作成する

次に、読み込んだデータから円グラフを作成していきます。

このとき着目するのはpitch_typeという列です。この列は、投げた球種を表しています。

STはスイーパー（横曲がりの大きいスライダー）、FFはストレート、FSはスプリット、CUはカーブ、FCはカットです。

各球種をそれぞれどれくらいの割合で投げているか調べるために、3番目のセルに、次のページのコードを書いて実行してみてください。

1行でカウント

```
#円グラフの作成
counts = df['pitch_type'].value_counts()
plt.pie(counts, labels=counts.index, counterclock=False,
startangle=90)
plt.show()
```

コードの解説　※色の濃淡ごとに1行としてカウントしています。

2行目	dfの「pitch_type」列に含まれる値の種類ごとに個数を集計し、集計結果をcountsと名づけています。FFが30個、SLが10個、といったイメージです
3行目	plt.pie() ── 円グラフを作成するために使う文
3行目	labels ── グラフ内のラベル（FF、SLなどの文字）
3行目	counterclock ── 反時計回りに描画する
3行目	startangle ── 時計の12時の地点からグラフを書き始める
4行目	plt.show() ── 作成したグラフを画面に表示する

2 データからグラフを作成してみよう

すると不思議なことに、次ページのような球種の内訳を表す円グラフが作成できたのではないでしょうか。作成できない場合は、コードを写し間違えていないか確認してみてください。

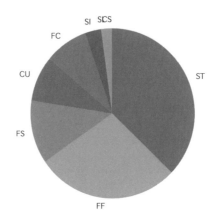

 ## グラフのタイトルを追加する

　作成した円グラフが何を表しているかわかりやすくするため、グラフの上部にタイトルを設定してみましょう。
　タイトルを設定する際にはplt.title()を使用します。
　先ほどのコードに、以下のように2行加えてみてください。

```
#円グラフの作成
counts = df['pitch_type'].value_counts()
plt.pie(counts, labels=counts.index, counterclock=False,
startangle=90)
#タイトルの追加
plt.title('大谷投手の球種割合')
plt.show()
```

　すると、グラフ上部に「大谷投手の球種割合」とタイトルが設定できましたね。これで円グラフは完成です！

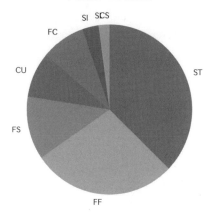

「プログラミング」と聞くと
難しそうなイメージがあるかもしれませんが、
意外と簡単だなと思えてきませんか？

2-3 球種ごとの平均球速を表す棒グラフ

棒グラフを作成してみましょう！

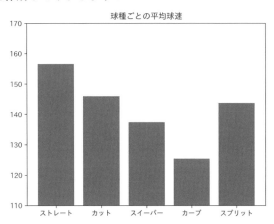

球種ごとの平均球速

データの読み込みと単位変換

次は球種ごとの平均球速を表す棒グラフを作成してみましょう。

まずは前回と同じくデータをアップロードして、モジュールのインポートとデータの読み込みを行ないます。

```
#モジュールのインポート
! pip install japanize_matplotlib
import japanize_matplotlib
import pandas as pd
import matplotlib.pyplot as plt
```

```
#データの読み込み
df = pd.read_csv('ファイル名')
df
```

次に、読み込んだデータの単位を変えていきます。

投球の速度が書かれた release_speed の列は単位がマイルになって いますが、わかりやすくするためにキロに変換します。

3つ目のセルに次のコードを書いて実行しましょう。

```
#単位の変換
df['speed_km'] = df['release_speed'] * 1.61
df
```

表示されたデータの右端を見ると、speed_km の列が追加されている ことがわかると思います！

コードの解説

時速1マイルをキロ単位に換算すると、だいたい時速1.61キロメートルと なるため、マイル単位をキロ単位に変換するコードでは、データに speed_km 列を新しく追加し、release_speed 列の値に1.61をかけた数字 を入れています。

 ## 球種ごとにデータを分ける

データを読み込めたら、次は球種ごとに分けたデータを作成します。

先ほどの円グラフから、大谷選手の主な球種はストレート・カット・ス イーパー・カーブ・スプリットの5種類とわかったので、この5種類のデー タを抽出します。

```
#球種ごとに分類
Fastball = df[df['pitch_type']=='FF'] #ストレート
Cutter = df[df['pitch_type']=='FC'] #カット
Sweeper = df[df['pitch_type']=='ST'] #スイーパー
Curve = df[df['pitch_type']=='CU'] #カーブ
Splitter = df[df['pitch_type']=='FS'] #スプリット
```

コードの解説

データの中から条件に合う行だけをピックアップする際には、df[df['pitch_
type']=='FF']のようにdf[ ]のカッコ内で条件を指定します。FFはストレー
トを表すので、2行目のコードではストレートのデータのみをピックアップ
し、Fastballと名づけています。

棒グラフを作成する

データを球種ごとに分けたら、実際に棒グラフを描画していきます。

まずは球種名とそれぞれの平均球速をリストに格納し、そこから棒グラ
フを作成します。

```
#球種名と各平均球速をリストに格納
x = ['ストレート', 'カット', 'スイーパー', 'カーブ', 'スプリッ
ト']
y = [Fastball['speed_km'].mean(), Cutter['speed_km'].
mean(),Sweeper['speed_km'].mean(), Curve['speed_km'].mean(),
Splitter['speed_km'].mean()]

#棒グラフの作成
plt.bar(x, y)
plt.title('球種ごとの平均球速')
plt.show()
```

次ページのような棒グラフが作成できればOKです！

ストレートがもっとも速く、カーブがもっとも遅いことがわかります。

コードの解説

3行目	先ほど作成した球種ごとのデータから、平均値を算出するコードであるmean()を利用してそれぞれの平均球速を算出しています。 たとえばFastball['speed_km'].mean()は、Fastballのspeed_km列の平均になっています。
6行目	plt.bar() ——→ 2-4行目で作成したxとyを棒グラフにプロットしています。 ※円グラフを作成するときはplt.pie()、棒グラフではplt.bar()を利用します！

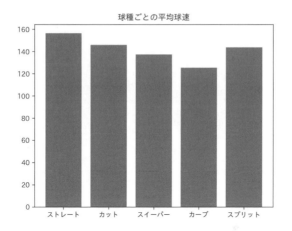

球種ごとの平均球速

 ## y軸の範囲を指定する

球種ごとの違いをより際立たせたいときは、y軸の範囲を指定しましょう。今回は最小値を110、最大値を170にしてみます。

```
#球種名と各平均球速をリストに格納
x = ['ストレート', 'カット', 'スイーパー', 'カーブ', 'スプリッ
ト']
y = [Fastball['speed_km'].mean(), Cutter['speed_km'].
mean(),Sweeper['speed_km'].mean(), Curve['speed_km'].mean(),
Splitter['speed_km'].mean()]

#棒グラフの作成
plt.bar(x, y)
plt.title('球種ごとの平均球速')
#y軸の幅を設定
plt.ylim(110, 170)
plt.show()
```

　y軸の範囲を設定する際にはplt.ylim()を利用し、カッコ内に指定する範囲の最小値と最大値を書き込みます。

　コードを実行してみると、y軸の範囲が狭くなって球種ごとの球速の違いがわかりやすくなったと思います。

　ちなみに、x軸の範囲を指定する際にはplt.ylim()の代わりにplt.xlim()を使用します。

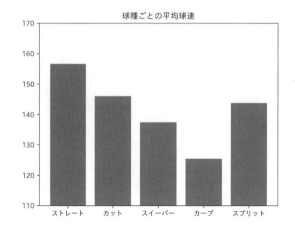

球種ごとの速度をグラフで可視化すると、
対戦相手の特徴がわかりやすくなります！

2-4 イニングごとの平均球速を表す折れ線グラフ

折れ線グラフを作成してみましょう！

　ここでは、次のような折れ線グラフを作成します。

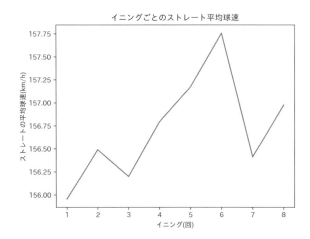

 データの読み込みと単位変換

　次は、イニングごとの平均球速を表す折れ線グラフを作成してみましょう。

　まずは前回と同じくデータをアップロードし、モジュールのインポートとデータの読み込みを行ないます。

```
#モジュールのインポート
! pip install japanize_matplotlib
import japanize_matplotlib
import pandas as pd
import matplotlib.pyplot as plt
```

```
#データの読み込み
df = pd.read_csv('ファイル名')
df
```

次に、球速の単位をマイルからキロに変換します。

前回と同じ要領でspeed_km列を作成し、release_speed列に1.61
をかけた数字を格納しましょう。

```
#単位の変換
df['speed_km'] = df['release_speed'] * 1.61
df
```

 ## ストレートのデータをイニング別に分ける

データが読み込めたら、次はストレートのデータだけを取り出します。

前回と同様の方法で、pitch_type列がFFになっているデータのみを
抽出しましょう。

```
#ストレートのみを抽出
Fastball = df[df['pitch_type']=='FF']
Fastball
```

ストレートだけが取り出せたら、今度はイニング別の平均球速を求めま
す。次のコードでイニング別の平均球速を算出します。

イニングの情報はinning列に入っています。前回球種ごとに分けたと
きのように1つひとつ絞り込んでもよいのですが、今回はfor文を使って
効率のいいコードを書いてみます！

for文とは、繰り返し同じ処理をする際に使用するコードです。

for文についてはあとで詳しく説明します。中身を理解してから実行に移りたい人は先にCHAPTER 3をお読みください。

```
#イニングごとの平均球速をリストに格納
x, y = [], []

for i in range(1, 10):
  inning = Fastball[Fastball['inning']==i]
  x.append(i)
  y.append(inning['speed_km'].mean())

y
```

これにより、xには各イニングを、yには各イニングの平均球速を格納することができました。

コードを実行すると、yにイニング別の平均球速が入っていることが確認できますね！

>>>>>>>>>>>>>>>>>>>>>>>>>>>>>>>>>>>>> CHECK! >>>>>>>>>>>>>>>>>>>>>>>>>>>>>>>>>>>>>
mean関数
⇒データフレームの平均値を求める
<<<<<<<<<<<<<<<<<<<<<<<<<<<<<<<<<<<<<<<<<<<<<<<<<<<<<<<<<<<<<<<<<<<<<<<<<<<<<<<<<<

コードの解説

2行目	x, y = [], [] ⟶ 空のリストを作成し、それぞれx、yと名づける
4行目～7行目	for文の中ではiに1から9までの数字を順番に代入し、5行目でinning列がiに一致するデータのみを絞り込み、inningと名づけています。
6行目・7行目	iの値をxに、作成したイニング別の絞り込みデータの平均球速をyに、それぞれ追加
7行目	inning['speed_km'].mean()のように記述すると、inningというデータフレームに含まれるspeed_km列の平均値を返してくれます。

折れ線グラフの作成

　イニングごとの平均球速が算出できたら、実際に折れ線グラフを描画していきます。

　実行するのは次のコードです。

```
#折れ線グラフの作成
plt.plot(x, y)
plt.title('イニングごとのストレート平均球速')
plt.show()
```

コードの解説

折れ線グラフではplt.plot()を利用します。
カッコ内にxとyを指定し、先ほど作成したxとyに格納されている数字をプロットするよう命じています。

　2022年は9回の登板データがないため、8回までの球速の推移を表した折れ線グラフが描画できます。

イニングを重ねるにつれて右肩下がりになるのではなく、むしろ初回の平均球速がもっとも遅いことがわかります！

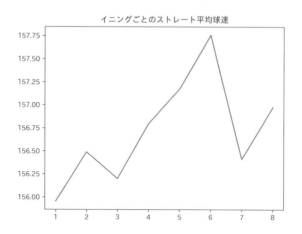

 ## 軸ラベルを追加する

　先ほどのグラフでは、x軸とy軸がそれぞれ何を表しているのかがパッと見ただけではわかりません。

　そこで、軸ラベルを追加してそれぞれの軸の意味を説明しましょう。

```
#折れ線グラフの作成
plt.plot(x, y)
plt.title('イニングごとのストレート平均球速')
#x軸とy軸にラベルを追加
plt.xlabel('イニング(回)')
plt.ylabel('ストレートの平均球速(km/h)')
plt.show()
```

コードを実行してみてください。

次のページのように、x軸には「イニング（回）」、y軸には「ストレートの平均球速（km/h）」というラベルを追加することができたと思います。

このように、x軸とy軸のラベルはそれぞれplt.xlabel()やplt.ylabel()で指定することができます。

慣れてくると、頻繁に使う便利なテクニックです。

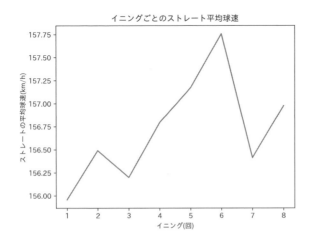

イニングごとのストレート平均球速

折れ線グラフは、
連続的な変化を捉えるときに役立ちます。
x軸y軸も追加し作成してみましょう！

2-5 球種ごとの球速分布を表すヒストグラム

ヒストグラムを作成してみましょう！

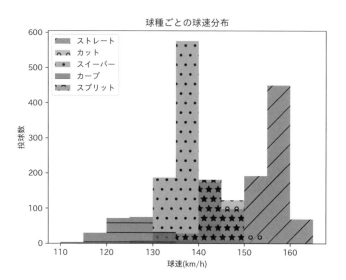

データの読み込みと単位変換

2-3では球種ごとの平均球速を棒グラフで表現しましたが、平均だけでは球速帯の幅がどのくらいあるかわかりません。

投手によって球速の最大値と最小値の差が大きいタイプもいれば、安定して同じくらいの球速を出すタイプもいて、こうした値のばらつき度合いが重要な情報となる場面もあります。

そこで、ここでは球種ごとの球速分布を表すヒストグラムを作成してみましょう。

まずは、これまでどおりデータのアップロード・モジュールのインポート・データの読み込み・単位変換を行なっていきます。

```
#モジュールのインポート
! pip install japanize_matplotlib
import japanize_matplotlib
import pandas as pd
import matplotlib.pyplot as plt
```

```
#データの読み込みと単位変換
df = pd.read_csv('ファイル名')
df['speed_km'] = df['release_speed'] * 1.61
df
```

データを球種別に分ける

データを読み込めたら、次は球種ごとに分けたデータを作成します。

大谷選手の主な球種は、2-1で作成した円グラフから、ストレート・カット・スイーパー・カーブ・スプリットの5種類とわかったので、データを5種類に分類していきましょう。ここまでは2-2と同じですね。

```
#球種ごとに分類
Fastball = df[df['pitch_type']=='FF'] #ストレート
Cutter = df[df['pitch_type']=='FC'] #カット
Sweeper = df[df['pitch_type']=='ST'] #スイーパー
Curve = df[df['pitch_type']=='CU'] #カーブ
Splitter = df[df['pitch_type']=='FS'] #スプリット
```

ヒストグラムの作成

データを球種別に分けたら、ヒストグラムを描画していきます。

```
#ヒストグラムの作成
plt.hist(Fastball['speed_km'], alpha=0.7, hatch='/', label='ス
トレート')
plt.hist(Cutter['speed_km'], alpha=0.7, hatch='o', label='カッ
ト')
plt.hist(Sweeper['speed_km'], alpha=0.7, hatch='.', label='ス
イーパー')
plt.hist(Curve['speed_km'], alpha=0.7, hatch='-', label='カー
ブ')
plt.hist(Splitter['speed_km'], alpha=0.7, hatch='*', label='ス
プリット')

#見た目の調整
plt.title('球種ごとの球速分布')
plt.xlabel('球速(km/h)')
plt.ylabel('投球数')
plt.legend(loc='upper left')
plt.show()
```

>>>>>>>>>>>>>>>>>>>>>>>>>>>>>>>>>>>> CHECK! >>>>>>>>>>>>>>>>>>>>>>>>>>>>>>>>>>>>

alpha

⇒0から1の範囲でヒストグラムの色の透明度を指定する。

　デフォルトではalphaが1（透過なし）なので、グラフが重なる場合には少
　し見にくくなります。そこで今回のように複数のヒストグラムを重ねて描
　画する場合は、重なりがわかるように透明度を設定するとよいでしょう。

hatch

⇒斜線、黒点、星などとグラフに模様をつける。

　alphaと同様に複数のグラフを重ねて描画する際には、重なりを見やす
　くするために有効です。

label

⇒左上に凡例を表示する際の名前をそれぞれ指定する（凡例とは、どの色がどの要素を示しているかを示したもの）。

<<<<<<<<<<<<<<<<<<<<<<<<<<<<<<<<<<<<<<<<<<<<<<<<<<<<<<<<<<<<<<<<<<<<<<<<<<<<<<<<

コードの解説

2行目～ 6行目	`plt.hist()` ⟶ ヒストグラムを書くために使う ここでは、各球種の球速のヒストグラムを描いています。カッコ内でプロットする各球種のspeed_km列のデータを指定した後、alphaとlabelの項目も指定しています。
12行目	`plt.legend()` ⟶ 凡例を表示するためのコード 複数のヒストグラムを重ねる場合、どの色が何を表しているかわかるように凡例をつけておくとよいでしょう。
12行目	`loc='upper left'` ⟶ 凡例の表示位置を指定するコード 今回はグラフの左上が空いていたので、locをupper leftにしました。右上はupper right、左下はlower leftのように指示します。

コードを実行すると、球種ごとの球速分布を作成できます。

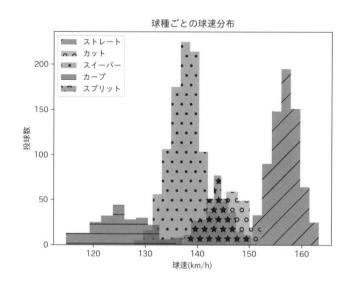

球種ごとの球速分布

たとえば、カーブの球速帯は他の球種に比べてかなり幅が広くなっています。ヒストグラムを書くことによって、こうした平均値だけではわからない情報を視覚化することができるのです。

 ## 棒の横幅を指定する

　先ほどのグラフでは、球種ごとにヒストグラムの棒の境界線が異なっており、ややわかりづらいですね。ここでは棒の横幅をどのように設定するか、解説します。実行するコードはこちらです。

```python
#棒の境界となる値をリストに格納
border = [110, 115, 120, 125, 130, 135, 140, 145, 150, 155,
160, 165]

#ヒストグラムの作成
plt.hist(Fastball['speed_km'], alpha=0.7, hatch='/', label='ス
トレート', bins=border)
plt.hist(Cutter['speed_km'], alpha=0.7, hatch='o', label='カッ
ト', bins=border)
plt.hist(Sweeper['speed_km'], alpha=0.7, hatch='.', label='ス
イーパー', bins=border)
plt.hist(Curve['speed_km'], alpha=0.7, hatch='-', label='カー
ブ', bins=border)
plt.hist(Splitter['speed_km'], alpha=0.7, hatch='*', label='ス
プリット', bins=border)

#見た目の調整
plt.title('球種ごとの球速分布')
plt.xlabel('球速(km/h)')
plt.ylabel('投球数')
plt.legend(loc='upper left')
plt.show()
```

コードの解説

2行目	棒の境界となるx軸の値をリストに格納しています。今回は110km/hから165km/hまで5km/h刻みで指定してみました。
5行目〜 9行目	plt.hist()の中でbinsに先ほどのリストを指定することにより、棒の横幅をカスタマイズすることができます。

2

データからグラフを作成してみよう

次ページのようなヒストグラムが描画できれば成功です！

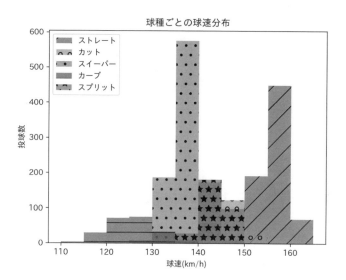

ヒストグラムは、
データの散らばり具合を見るときに役立ちます。

2-6 投球の到達位置を 表す散布図

散布図を作成してみましょう!

　だんだんとコードが長くなっていますが、まずは手を動かして実践して みてください。

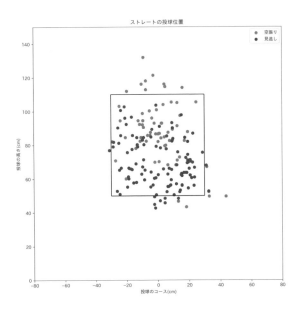

データを準備する

　ここまでは、主に球速にフォーカスして分析をしてきました。今度は 「投球がどこに投じられたか」に着目していきます。

　まずは、これまでどおりデータをアップロードし、モジュールのイン ポートを行ないましょう。

```
#モジュールのインポート
! pip install japanize_matplotlib
import japanize_matplotlib
import pandas as pd
import matplotlib.pyplot as plt
```

次は、データの読み込みと単位の変換です。

今回は球速ではなく投球の到達位置に着目するので、投球のコースを表すplate_x列と投球の高さを表すplate_z列を使用します。元のデータでは単位がフィートになっているので、30.48をかけてセンチメートル単位に変換したplate_x_cm列とplate_z_cm列を作成しましょう。

```
#データの読み込みと単位変換
df = pd.read_csv('ファイル名')
df['plate_x_cm'] = df['plate_x'] * 30.48
df['plate_z_cm'] = df['plate_z'] * 30.48
df
```

単位の変換ができたら、次はストレートのデータだけを抽出します。球種別にデータを分けたときと同じ方法を使います。

```
#ストレートだけを取り出す
Fastball = df[df['pitch_type']=='FF']
Fastball
```

 ## 散布図を作成する

データの準備ができたら、実際に散布図を描画していきます。実行するのは次のコードです。

```
#散布図の作成
plt.figure(figsize=(10,10))
plt.scatter(Fastball['plate_x_cm'], Fastball['plate_z_cm'])

#見た目の調整
plt.title('ストレートの投球位置(捕手目線)')
plt.xlabel('投球のコース(cm)')
plt.ylabel('投球の高さ(cm)')
plt.xlim(-80, 80)
plt.ylim(0, 150)
plt.hlines(y=[50, 110], xmin=-30, xmax=30, color='black')
plt.vlines(x=[-30, 30], ymin=50, ymax=110, color='black')
plt.show()
```

>>>>>>>>>>>>>>>>>>>>>>>>>>>>>>>>>>>>>> CHECK! >>>>>>>>>>>>>>>>>>>>>>>>>>>>>>>>>>>>>>>

plt.figure(figsize=(横幅,高さ))
⇒散布図のサイズを指定するコード
plt.scatter ()
⇒散布図を作成するコード
plt.hlines()
⇒横線を引くためのコード
plt.vlines()
⇒縦線を引くためのコード

<<<<<<<<<<<<<<<<<<<<<<<<<<<<<<<<<<<<<<<<<<<<<<<<<<<<<<<<<<<<<<<<<<<<<<<<<<<<<<<<<<<

　コードを実行すると、次のような、ストレートの到達位置をプロットした散布図が描けたと思います。

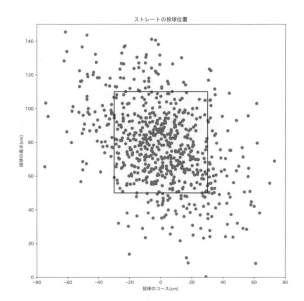

　左右は捕手目線になっているので、右側が右バッターにとってのアウトコース、左側が右バッターにとってのインコースです。

　また、中心の四角で囲まれた部分はおおよそのストライクゾーンを表しています。

　右上や左下にはプロットが少なく、左上から右下にかけて帯状に連なって分布していることがわかりますね。

2行目〜 3行目	ストレートの到達位置を表す散布図を書いています。2行目でサイズを指定しており、今回は横幅と高さをともに10に設定しています。3行目のカッコ内ではプロットする際のx座標にあたるplate_x_cm列と、y座標にあたるplate_z_cm列を指定しています。
6行目〜 10行目	見た目の調整を行なっています。plt.title()はタイトル、plt.xlabel()とplt.ylabel()は軸ラベル、plt.xlim()とplt.ylim()は軸の範囲をそれぞれ設定するのでしたね。
11行目 〜12行 目	今回はグラフ内にストライクゾーンを描画するために、横線と縦線を引いています。11行目のコードは、y座標が50の位置と110の位置に、x座標が-30から30までの範囲で横線を引くように、という意味です。逆に12行目では、x座標が-30の位置と30の位置に、y座標が50から110までの範囲で縦線を引くよう指示しています。実際のストライクゾーンはセンチメートル単位で定義されているわけではありませんが、今回はおおざっぱに表現するために上記の範囲で指定しています。

 ## プロットを塗り分ける

　先ほどのグラフでは全体的な投球位置の分布を確認しましたが、ここではより深く分析するために、空振りストライクと見逃しストライクに着目してプロットを塗り分けてみます。

　まずは先ほど作成したストレートだけのデータから、空振りストライクと見逃しストライクのデータを抽出しましょう。

description列にswinging_strikeと書かれているものが空振りストライク、called_strikeと書かれているものが見逃しストライクを表しています。

```
#空振りストライクと見逃しストライクを抽出
Swinging = Fastball[Fastball['description'].isin(['swinging_
strike', 'swinging_strike_blocked'])]
Called = Fastball[Fastball['description']=='called_strike']
```

次に、作成した空振りストライクのデータと見逃しストライクのデータをそれぞれプロットしていきます。

```
#色分けした散布図の作成
plt.figure(figsize=(10,10))
plt.scatter(Swinging['plate_x_cm'], Swinging['plate_z_cm'],
color='red', label='空振り')
plt.scatter(Called['plate_x_cm'], Called['plate_z_cm'],
color='blue', label='見逃し')

#見た目の調整
plt.title('ストレートの投球位置')
plt.xlabel('投球のコース(cm)')
plt.ylabel('投球の高さ(cm)')
plt.legend(loc='upper right')
plt.hlines(y=[50, 110], xmin=-30, xmax=30, color='black')
plt.vlines(x=[-30, 30], ymin=50, ymax=110, color='black')
plt.xlim(-80, 80)
plt.ylim(0, 150)
plt.show()
```

プロットの色を指定する際は、カッコ内でcolor='red'などと書きます。また、色ごとの意味がわかるようにするため、2-4でも出てきたようにlabel='空振り'のようにして凡例も設定しておきましょう。

　　凡例をグラフ内で表示するにはplt.legend()が必要なので、そちらもお忘れなく！

　　次のようなグラフが描画できたら完成です。
　　色ごとの分布を見ると、空振りは高めに多く、見逃しは低めに多いことがわかります。

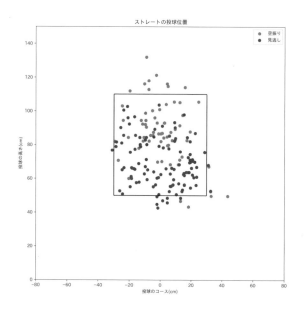

初めて登場するコードも多く、全体的にも長いため、ややこしくて混乱するかもしれませんが、使いながら慣れていけば大丈夫です！

2-7 投球の到達位置を表すヒートマップ

ヒートマップを作成してみましょう！

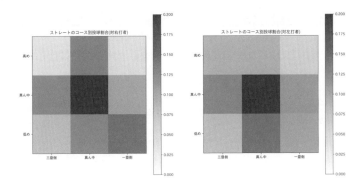

 データを準備する

　ここでは、対戦相手が右打者だったときと、左打者だったときで、投球コースにどのような変化があるかを分析するためにヒートマップを作成していきます。

　まずは、これまでどおりデータをアップロードし、モジュールをインポートします。

```
#モジュールのインポート
! pip install japanize_matplotlib
import japanize_matplotlib
import pandas as pd
import matplotlib.pyplot as plt
```

次に、データの読み込みと単位変換です。

投球のコースを表すplate_x列と投球の高さを表すplate_z列は単位がフィートになっているので、それぞれ30.48をかけて、センチメートル単位に変換したplate_x_cm列とplate_z_cm列を作成します。

```
#データの読み込みと単位変換
df = pd.read_csv('ファイル名')
df['plate_x_cm'] = df['plate_x'] * 30.48
df['plate_z_cm'] = df['plate_z'] * 30.48
df
```

単位の変換ができたら、次はストレートのデータだけを抽出していきます。ここまでできればデータの準備は完了です。

```
#ストレートのみを抽出
Fastball = df[df['pitch_type']=='FF']
Fastball
```

 ## コース別のストレート投球割合を算出

データの準備ができたら、実際にヒートマップを描画していきます。

ヒートマップの作成にあたり、まずはコース別のストレート投球割合を算出しましょう。

前回と同じように上下位置が50cm以上110cm以内かつ左右位置が−30cm以上30cm以内の部分をストライクゾーンと設定します。

さらに今回はそのストライクゾーンを3×3の9マスに分割し、コースを表現します。

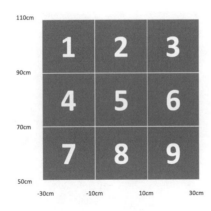

次に、投球割合を計算するために、コース別に投球数を集計します。集計用の二重リストを作成し、上下位置と左右位置を判定して集計用リストの該当コースに1を加算していきます。コードは次ページのとおりです。2ページにまたがっているので注意してください。

```python
#コース別に集計するためのリスト
location = [[0, 0, 0], [0, 0, 0], [0, 0, 0]]
#合計球数をカウントするための変数
total = 0

for height, side in zip(Fastball['plate_z_cm'], Fastball['plate_x_cm']):
    #上下位置や左右位置がストライクゾーン外の場合は処理をスキップ
    if height<50 or 110<height:
        continue
    if side<-30 or 30<side:
        continue

    #上下位置の判定
    if 90< height <=110:
        h = 0
```

```python
    elif 70 <= height <= 90:
        h = 1
    elif 50 <= height < 70:
        h = 2

    #左右位置の判定
    if -30 <= side < -10:
        s = 0
    elif -10 <= side <= 10:
        s = 1
    elif 10 < side <= 30:
        s = 2

    #集計用リストの判定されたコースに1を加算
    location[h][s] += 1
    #ストライクゾーン内の合計球数をカウントする変数に1を加算
    total += 1

location
```

>> **CHECK!** >>>>>>>>>>>>>>>>>>>>>>>>>>>>>>>>>>>>>>>

zip()

⇒for文の中で複数の列の要素を順番に取得していく際などに使う関数

continue文

⇒それ以降の処理を行なわずに次のループに移ることを命じる構文

<<<<<<<<<<<<<<<<<<<<<<<<<<<<<<<<<<<<<<<<<<<<<<<<<<<<<<<<<<<<<<<<<<<<<<<<<<<<<<<<<<<<<<

コードの解説

6行目	1回目のループでは1行目のplate_z_cmとplate_x_cmをそれぞれheightとsideに代入、２回目のループでは２行目のplate_z_cmとplate_x_cmをそれぞれheightとsideに代入……と処理が行なわれていきます。
8行目〜11行目	ストライクゾーン外の投球に対して処理をスキップするようプログラムしています。
13行目〜27行目	上下位置と左右位置を判定しています。ここで判定した上下位置と左右位置を元にコースを決定し、30行目で集計リストの該当コースに1を加算しているわけです。

　コードを実行すると、リスト内に数字が加算されていることがわかりますね。これでコース別のストレート投球数を集計することができました。

　次はこれを割合に変換していきます。

　先ほどのコードで合計球数をカウントしたので、各コースの球数を合計球数で割ることでコース別の投球割合が算出できます。

```
#コース別の投球割合を格納するリスト
ratio = []

#各コースの投球割合を算出してratioに格納
for lst in location:
  add = [num/total for num in lst]
  ratio.append(add)

ratio
```

>>>>>>>>>>>>>>>>>>>>>>>>>>>>>>>>>>>>>>> **CHECK!** >>>>>>>>>>>>>>>>>>>>>>>>>>>>>>>>>>>>>>>

［式　for文］

⇒リスト内包表記と呼ばれるもので、少々複雑ではあるものの非常に便利な構文

<<<<<<<<<<<<<<<<<<<<<<<<<<<<<<<<<<<<<<<<<<<<<<<<<<<<<<<<<<<<<<<<<<<<<<<<<<<<<<<<<

5行目〜
7行目

location内のリストを順にlstに代入していますが、lst
の要素をnumという名前で取り出し、numをtotalで割った
値を要素とする新たなリストを返しているのです。した
がってこのリストをratioに格納することで、コース別の
投球割合が算出できました。

 ## ヒートマップを描画する

　コース別の投球割合を算出できたら、いよいよヒートマップを描画しま
す。実行するコードは次ページのとおりです。

```python
#ヒートマップの作成
plt.figure(figsize=(8, 8))
plt.imshow(ratio, cmap='OrRd')

#見た目の調整
plt.colorbar()
plt.clim(0, 0.2)
plt.title('ストレートのコース別投球割合')
plt.xticks([0, 1, 2], ['三塁側', '真ん中', '一塁側'])
plt.yticks([0, 1, 2], ['高め', '真ん中', '低め'])
plt.show()
```

実行すると、赤の濃淡によるヒートマップが描画できたはずです。

上下位置と左右位置がともに真ん中の場所への投球割合がもっとも高いことがわかりますね！

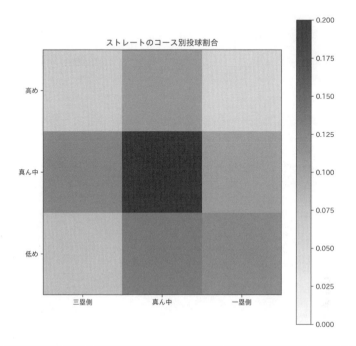

コードの解説

3行目	`plt.imshow()` ⟶ ヒートマップを描画しています。カッコ内のcmapでは色を指定しており、今回は赤の濃淡で表現するOrRdを利用しています。
6行目・ 7行目	マップの右側に表示されているカラーバーに関する設定です。6行目ではカラーバーを表示することを命じており、7行目ではカラーバーの下限と上限をそれぞれ0と0.2に設定しています。
9行目・ 10行目	軸の目盛に関する設定です。`plt.xticks()`や`plt.yticks()`のカッコ内で、目盛を設定する位置と実際に表示する内容を指定することにより、軸の目盛を任意の値に変更することができます。

関数として定義する

　今回作成したコードのように文の数が増えてくると、ヒートマップを作成するたびに毎回同じコードを書くのはかなり大変ですよね。そんなときに役に立つのが関数です。実際に今回のヒートマップ作成に関するコードを関数として定義してみましょう。

　ここでは描画に使うデータと作成する図のタイトルを指定すると、ヒートマップを描画してくれる関数を定義し、create_heatmapと名づけることにします。

　実行するコードは次ページのとおりです。2ページにまたがりコードを示していますので、注意してください。

```python
def create_heatmap(data, title):
  #コース別に集計するためのリスト作成
  location = [[0, 0, 0], [0, 0, 0], [0, 0, 0]]
  sum = 0

  for height, side in zip(data['plate_z_cm'], data['plate_x_cm']):
    #高さやコースがストライクゾーン外の場合は処理をスキップ
    if height<50 or 110<height:
      continue
    if side<-30 or 30<side:
      continue

    #高さの分類
    if 90< height <=110:
      h = 0
    elif 70 <= height <= 90:
      h = 1
    elif 50 <= height < 70:
      h = 2
```

```python
    #コースの分類
    if -30 <= side < -10:
      s = 0
    elif -10 <= side <= 10:
      s = 1
    elif 10 < side <= 30:
      s = 2

    location[h][s] += 1
    sum += 1

#コース別の投球割合を計算
  ratio = []
  for lst in location:
    add = []
    for num in lst:
      add.append(num/sum)
    ratio.append(add)

#ヒートマップの作成
  plt.figure(figsize=(8, 8))
  plt.imshow(ratio, cmap='OrRd')

#見た目の調整
  plt.colorbar()
  plt.clim(0, 0.2)
  plt.title(title)
  plt.xticks([0, 1, 2], ['三塁側', '真ん中', '一塁側'])
  plt.yticks([0, 1, 2], ['高め', '真ん中', '低め'])
  plt.show()
```

これで、ヒートマップの作成を関数として定義することができました。

この関数を実際に使用して、右打者と左打者に対するストレートのコース別投球割合をそれぞれ描画してみましょう。

まずは、ストレートのデータを対右打者と対左打者に分け、先ほど定義したcreate_heatmap関数を使ってヒートマップを作成してみます。実行するコードは次のとおりです。

```
#ストレートのデータを対右打者と対左打者に分ける
Fastball_Right = Fastball[Fastball['stand']=='R']
Fastball_Left = Fastball[Fastball['stand']=='L']

#作成した関数を使ってヒートマップを描画
create_heatmap(Fastball_Right, 'ストレートのコース別投球割合(対
右打者)')
create_heatmap(Fastball_Left, 'ストレートのコース別投球割合(対左
打者)')
```

次ページのようなヒートマップを作成できれば完成です。

対右打者への投球では、対左打者のときよりも一塁側低めへの投球割合が増加することがわかりますね！

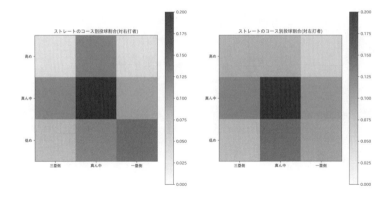

コードが長いものも増えてきていますが、
意味を理解するよりも、まずはヒートマップの作成を
目標にコードを書いてみましょう！

2-8 リリースポイントを表す箱ひげ図

箱ひげ図を作成してみましょう！

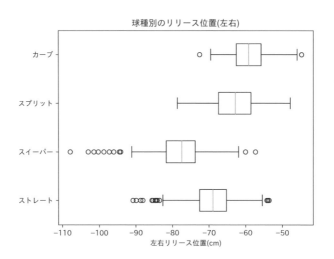

球種別のリリース位置(左右)

左右リリース位置(cm)

データを準備する

　今回は投球のリリースポイントに注目して分析していきます。まずはデータをアップロードし、必要なモジュールをインポートします。

```
#モジュールのインポート
! pip install japanize_matplotlib
import japanize_matplotlib
import pandas as pd
import matplotlib.pyplot as plt
```

　次は、データの読み込みと単位の変換です。

　リリースポイントの上下位置と左右位置はそれぞれrelease_pos_z列とrelease_pos_x列に入っていますが、単位がフィートになっています。これらをセンチメートル単位に変換するため、それぞれの数字に30.48をかけたrelease_pos_z_cm列とrelease_pos_x _cm列を作成します。

```
#データの読み込みと単位変換
df = pd.read_csv('ファイル名')
df['release_pos_x_cm'] = df['release_pos_x'] * 30.48
df['release_pos_z_cm'] = df['release_pos_z'] * 30.48
df
```

　単位の変換ができたら、次は大谷投手の主要な球種であるストレート・スイーパー・スプリット・カーブのデータをそれぞれ抽出していきます。

　ここまでできればデータの準備は完了です。

```
#球種別にデータを抽出
Fastball = df[df['pitch_type']=='FF']
Sweeper = df[df['pitch_type']=='ST']
Splitter = df[df['pitch_type']=='FS']
Curve = df[df['pitch_type']=='CU']
```

 ## 箱ひげ図を描画する

　データの準備ができたら、箱ひげ図を描画していきます。

　箱ひげ図は、データのばらつき具合を可視化するときに役立ちます。

　まずはリリースポイントの高さから可視化していきましょう。コードは次ページのとおりです。

```
#箱ひげ図を描画
plt.boxplot([Fastball['release_pos_z_cm'], Sweeper['release_pos_
z_cm'], Splitter['release_pos_z_cm'], Curve['release_pos_z_
cm']],
            labels=['ストレート', 'スイーパー', 'スプリット', '
カーブ'])
plt.ylabel('上下リリース位置(cm)')
plt.title('球種別のリリース位置(高さ)')
plt.show()
```

≫≫≫≫≫≫≫≫≫≫≫≫≫≫≫≫≫≫≫≫≫≫≫≫≫≫ CHECK! ≫≫≫≫≫≫≫≫≫≫≫≫≫≫≫≫≫≫≫≫≫≫≫≫≫≫

plt.boxplot()
⇒箱ひげ図の描画に使うコード
≪≪

　全体的にスイーパーのリリースポイントはやや低め、カーブのリリース
ポイントはやや高めであることがわかりますね。
　またリリースの高さのばらつきは、どの球種でもだいたい同じくらいの
幅に収まっていることがわかります。

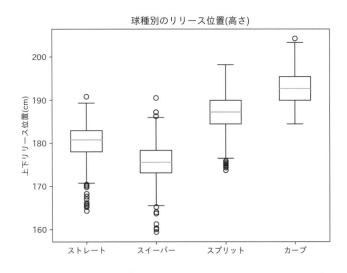

コードの解説

2行目 | カッコ内では先ほど分けた球種ごとのデータのrelease_pos_z_cm列をそれぞれ指定しています。またlabelsを設定することで、x軸の目盛を任意の値に設定することができます。デフォルトでは目盛が0,1,2,3・・・となるため、今回は各球種名を目盛に設定しています。

 ## 横向きの箱ひげ図を作成する

先ほどはリリースの上下位置を箱ひげ図で表しました。今度はリリースの左右位置を箱ひげ図で描画してみます。

同じコードを使ってもよいのですが、今度は左右を効果的に表すためにひと工夫加えてみましょう。

plt.boxplot()の中にvert=Falseと記述することで、箱ひげ図を横向きに描くことができるのです。コードは次のとおりです。

```
#横向きの箱ひげ図を描画
plt.boxplot([Fastball['release_pos_x_cm'], Sweeper['release_pos_x_cm'], Splitter['release_pos_x_cm'], Curve['release_pos_x_cm']],
          labels=['ストレート', 'スイーパー', 'スプリット', 'カーブ'], vert=False)
plt.xlabel('左右リリース位置(cm)')
plt.title('球種別のリリース位置(左右)')
plt.show()
```

コードを実行すると、次のページのようなリリースポイントの左右の位置を表す横向きの箱ひげ図が描画できたのではないでしょうか。

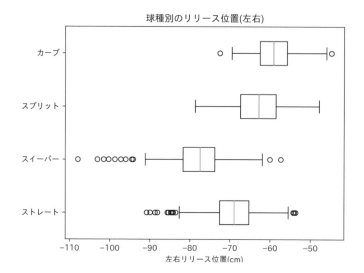
球種別のリリース位置(左右)

この左右のリリースポイントの位置はプレートの中心から左右にどれだけ離れた位置でリリースしているかを表し、マイナスの数字は三塁側を、プラスの数字は一塁側を表しています。

この箱ひげ図を見ると、スイーパーの左右のリリースの位置はプレートの中心から三塁方向に遠く離れており、カーブの左右のリリースの位置はプレートの中心に近いことがわかりますね。

リリース位置の上下と左右を合わせて考えると、スイーパーのリリースの位置は上下方向では低く、左右方向では三塁側に離れているため、他の球種を投じる際よりも腕を横振りしていると推測されます。大谷投手が横に大きく曲がる強力なスイーパーを投げられるのは、こうした腕の使い方も1つの理由であるといえそうですね。

どのような分析結果を示したいかを明確にし、もっとも有効なグラフの作成に挑戦してみましょう！

—— Column ——

よくあるエラーと対処法

SyntaxError

SyntaxErrorは、プログラムの文法に関するエラーを示すものです。これは、Pythonの文法規則に従っていないコードを書いた場合に発生します。そのため、プログラムはこのエラーが存在する場合には実行されません。

対処法としては、エラーメッセージを読んでSyntaxErrorが発生している箇所を探します。エラーメッセージには問題のあるコードの行数やエラーの種類が示されているので、それを手がかりに問題の原因を特定しましょう。よくある原因としては、以下のようなものがあります。

1. カッコやコロンなどの不足

```
print('Hello World!)
```

上記のコードでは、文字列を囲む引用符を閉じ忘れています。
この場合には下記のようなエラーメッセージが出力されます。

```
  File "<ipython-input-6-90c55c13cab7>", line 1
    print('Hello World!)
         ^
SyntaxError: unterminated string literal (detected at line 1)
```

この場合、以下のように引用符のペアを正しく閉じることでエラーが解消されます。

```
print('Hello World!')
```

2. 全角スペースや全角数字などの混入

```
character　=　12
print(character)
```

　上記のコードでは、すごくわかりにくいのですがイコールの前後にある
スペースが全角になっています。
　Pythonは全角スペースを正しく認識できないため、実行すると下記の
ようなエラーメッセージが出力されます。

```
File "<ipython-input-5-457a93a2b31f>", line 1
    character　=　12
              ^
SyntaxError: invalid non-printable character U+3000
```

　この場合は、下記のように全角スペースを半角スペースに修正すること
で、エラーが解消されます。

```
character = 12
print(character)
```

FileNotFoundError

　FileNotFoundErrorは、指定したファイルやディレクトリが存在し
ない場合に発生するエラーです。通常はファイルの読み込みや書き込みを
行なおうとした際に、該当のファイルやディレクトリが見つからない場合
に遭遇します。
　原因としては、ファイル名を間違えていたり、ファイルのアップロード
を忘れていたりするパターンが多いです。エラーメッセージの例として
は、以下のようなものがあります。

```
df = pd.read_csv('sample.csv')
```

このエラーメッセージは、sample.csvという名前のファイルが存在しないことを指摘しています。ファイル名を間違えていないか、Colab上にアップロードするのを忘れていないか、などをチェックするとよいでしょう。

KeyError

KeyErrorは、主にデータの中から存在しないキーやラベルを参照しようとしたときに発生するエラーです。本書で使用したpandasでは、列名や行のラベルの不一致などで遭遇することがあります。

例として、下記のようなコードで出現することがあります。

```
df['speed_km'] = df['release_speed'] * 1.61
```

上記のコードでは、dfと名づけたデータに含まれるrelease_speed列の各値に1.61をかけたspeed_kmという新たな列を作成しようとしています。これを実行した際に、下記のようなエラーメッセージが出力されたとしましょう。

```
KeyError: 'release_speed'
```

これは、dfの中にrelease_speedという名前の列が存在しないことを示しています。この場合は列名を間違えているケースがほとんどなので、大文字・小文字の違いなどにも注意しつつスペルミスがないかチェックしてみてください。

IndentationError

IndentationErrorは、コードのインデント（字下げ）が不正確または一貫性がない場合に発生するエラーです。Pythonはコードブロックの区切りをインデントによって識別するため、正確なインデントが非常に重要となります。

よくある原因としては、以下のようなものがあります。

```
x = []

for i in range(1, 10):
x.append(i)
```

上記のコードではfor文を使用しており、コロンに続くx.append(i)の部分はインデントを下げなければいけません。

このコードを実行すると、以下のようなエラーメッセージが出力されます。

```
File "<ipython-input-8-76cba9080647>", line 4
    x.append(i)
    ^
IndentationError: expected an indented block after 'for'
statement on line 3
```

この場合は、以下のようにインデントを下げることでエラーが解消されます。インデントを下げる際には文頭にカーソルを置いて Tab キーを押しましょう。

```
x = []

for i in range(1, 10):
  x.append(i)
```

Colabではfor文などを使う際に勝手にインデントが設定されるようになっているため、基本的には自分でインデントを調整しなくてもよいようになっています。ただIndentationErrorが発生してしまった際には、どこでエラーが発生しているかを特定し、 Tab キーを使ってインデントの修正を行ないましょう。

Pythonの
基礎を学ぼう

CHAPTER 2では、実際に手を動かすことを重視すべく
Pythonを使った分析について、大谷翔平選手のデータをも
とに解説してきました。

詳しいコードの解説はしてこなかったので、コードを書きな
がら疑問を抱くこともあったかと思います。

CHAPTER 3では、あらためてPythonの基礎知識につい
て、解説していきます。コードを書くことに慣れてきたら、
次のステップとして基礎知識の習得にチャレンジしてみてく
ださい！

3-1 分析前の準備その1 pip と import

 ## !pip install

「!pip install」というコマンドは、Pythonでライブラリをインストールする際に使用します。このコマンドに続いて、インストールしたいライブラリを指定することで、簡単にインストールできます。

たとえば、「!pip install pandas」を実行すると、pandasというライブラリをインストールできます。ライブラリをインストールすることで、データ分析や処理をより高度に行なうことができます。

文頭の「!」について疑問を持った人もいるかもしれません。

この「!」の意味は少し難しいので、ここではおまじないだと思って覚えておきましょう！

```
! pip install japanize_matplotlib
```

> 「japanize_matplotlib」を
> インストールする。

本書でグラフ作成を行なう際、いつも上記のコードを実行していましたね。これはjapanize_matplotlibというライブラリをインストールするためのコードです。

matplotlibでは日本語を表示しようとすると文字化けしてしまうため、このjapanize_matplotlibを使用することで文字化けを防ぐことができます。

 **import**

「import」は、Pythonのライブラリをプログラムに取り込むための命令です。プログラム内で使用するライブラリやモジュールを「import」で指定することで、それらの機能を利用することができます。

```
import pandas
```
> 「pandas」という
> ライブラリを取り込む。

上記のコードは、プログラム内でpandasというライブラリを使用するためのコードです。

たとえば、pandasのread_csv機能を使いたいときは、「pandas.read_csv()」などと呼び出すことができます。

また本書では、上記のコードが何度も登場しましたね。

「import ○○」の後に「as △△」をつけると、ライブラリを呼び出す際の名称を簡略化することができます。

```
import pandas as pd
```
> 「pandas」を「pd」と略して
> 呼び出すことができる。

たとえば上記のコードであれば「as pd」と書いたことにより、「pandas.read_csv()」ではなく「pd.read_csv()」で呼び出すことができるようになります。

ライブラリ名が長い場合や、コード内で何度も登場する場合に便利ですね。pandasはpdと略すのが定番になっているので、覚えておくとよいでしょう。

3

Pythonの基礎を学ぼう

pip と import の違い

　「import」は、すでにインストールされているライブラリを使用する場合に使われます。スマホでたとえるなら、アプリを起動するような感覚です。

　一方、「!pip install」は、Pythonに最初から含まれていないライブラリなどをインストールするために使用されます。スマホでたとえるなら、アプリをダウンロードするような感覚です。

　つまり、Pythonに含まれない外部ライブラリを使用する場合には、一度「!pip install」でインストールしてから「import」で起動する必要がある、というわけです。

自分でコードを書くためにも、
1つひとつの意味を
確認していきましょう！

3-2 分析前の準備その2 pandas

 pandas

　pandasとは、データを取り扱うためのPythonのライブラリの1つです。本書でも毎回importして使用していました。

　データを表形式で扱うことができ、Excelのようにデータの集計や加工、可視化などができます。

　pandasを使うことで、大量のデータを処理する際に手動で作業する必要がなくなり、処理速度も早くなります。

　pandasはPythonの基本的な文法を理解していれば簡単に扱うことができるため、非常に便利です。pandasを利用する際は、次のようにインポートします。

> 「pandas」というライブラリを
> 呼び出すことができる。

```
import pandas as pd
```

　import pandasだけでも大丈夫なのですが、pandasに含まれる機能を利用する際に毎回pandasと記述するのは面倒なので、as pdを後ろに加えることでコード内ではpdと呼び出せるようにしています。

　ここからは、本書で登場したpandasの機能について見ていきましょう！

 ## read_csv()

read_csv() はpandasで提供される機能の１つで、CSVファイルを読み込むために使用されます。

CSVファイルは、Comma Separated Valuesの略で、カンマの区切りのテキストファイル形式でデータが記録されています。この関数を使用することで、CSVファイルをDataFrameと呼ばれる形式で読み込むことができます。たとえば「sample.csv」というファイルを読み込んでdataと名づけたい場合には、以下のように記述します。

> ('sample.csv') という名前のファイルを読み込んで、data と名づける。

```
data = pd.read_csv('sample.csv')
```

カッコ内にファイル名を書きます。

ファイル名の前後はシングルクォーテーション（またはダブルクォーテーション）で囲う必要があるので、忘れないようにしましょう！

また、CSVファイルではなくXLSXファイルやXLSファイルを読み込みたい場合には、read_csvの代わりにread_excelを使用します。

 ## head()

head() は、pandasで提供される機能の１つで、データの先頭の行を表示するために使用されます。

カッコの中で引数を指定しない場合、先頭の５行を表示します。引数に数値を指定することで、表示する行数を変更することができます。

このhead()はデータが正しく読み込まれたかどうかの確認や、データの概要を把握するために使われます。

```
print(sample.head())
print(sample.head(10))
```

head(10)と指定することで、
先頭の10行分が表示される。

　1行目のコードはhead()のカッコ内に数字を指定していないため、sampleの先頭5行分の内容が画面に表示されます。一方、2行目のコードはカッコ内に10と指定しているため、sampleの先頭10行分が出力されます。

mean()

　mean()はpandasに含まれる機能の1つで、データの平均値を計算するために使用されます。

　たとえばsampleというデータの平均値を表示したいときには、次のように記述します。

```
print(sample.mean())
```

　データ分析ではよく平均値を使用するため、mean()は非常に高い頻度で使用されます。ぜひ覚えておきましょう。

　また、同様の方法で中央値や最頻値を求めることもできます。平均値ではmean()でしたが、中央値はmedian()、最頻値はmode()を使用します。

value_counts()

　value_counts()はpandasに含まれる機能の1つで、データの中に各要素がそれぞれ何回出現するかをカウントしてくれます。

　たとえば果物のリストがあるときに、value_counts()を使うことでリンゴが5個、バナナが3個、オレンジが2個、などといった出現回数を数えることができます。

　そのため、value_ counts()は、データの中に含まれる各要素の割合をざっくりと把握するうえで役立ちます。

value_counts() はカウント結果を降順でソートして返すため、より出現回数の多い要素から順に確認できるようになっています。後ろに () をつけるのが必須なので、忘れないようにしましょう。

Python でしか使わない
記号ばかりですが、
たくさん使って慣れていきましょう！

3-3 Pythonの基本操作 四則演算と画面表示

 print()

print()は画面に文字列や数字などを表示するための機能です。

括弧内に文字列や数字を指定してprint()を使うことで、その内容を画面に表示することができます。

print()はPythonでもっとも基本的な関数の1つで、プログラミングを始める際には一番最初に学習することも多いです。

 #（ハッシュタグ）

Pythonのプログラム中には、実行する際に必要なコード以外にメモや説明のためのコメントを書くことができます。

このときに使われるのが、コメントアウトという方法です。

コメントアウトは、特殊な記号を使用することにより、プログラムの中で実行されないようにすることができます。

Pythonではハッシュタグを使うことで、ハッシュタグ以降に書かれた文字列はプログラムの実行に影響を与えずに無視されます。

コメントアウトを使うことで、プログラムが読みやすくなったり、自分や他人がプログラムを理解しやすくなったりします。

 四則演算

Pythonでは四則演算を簡単に行なうことができます。

足し算は「＋」の記号、引き算は「－」の記号を使います。

たとえば、print(3+2)を実行すると、3+2の答えである5が画面に

表示されます。

　同様にprint(3-2)を実行すれば、画面に1が表示されます。

　掛け算や割り算をするときには、普段使っている記号とは違うので覚えておきましょう。掛け算は*の記号、割り算は/の記号を使います。

　こちらも先ほどと同じくprint(3*2)を実行すれば6が、print(3/2)を実行すれば1.5が、それぞれ画面に表示されます。

記号	意味	コード	画面表示
＋	足し算	print(3+2)	5
－	引き算	print(3-2)	1
*	掛け算	print(3*2)	6
/	割り算	print(3/2)	1.5

データの多い四則演算の効率があがるなど
日ごろの仕事で役立ちます！

3-4 リスト

 ## リスト

リストとは、複数の値をまとめて保持するためのものです。

リストには文字列や数値など、さまざまな種類の値を入れることができます。試しにfruitsというリストを作成し、その中にapple、banana、orangeという3つの文字列を格納してみましょう。

```
fruits = ["apple", "banana", "orange"]
print(fruits)
```
["apple", "banana", "orange"]でfruitsに格納し、print(fruits)で表示する。

上記のコードでは、1行目でリストを作成しています。

2行目のprint(fruits)により、実際に目的のリストが作成できていることが確認できました。

リストは、[ ]（角括弧）で囲まれた要素の並びで表され、要素同士はカンマで区切られます。リストの要素には順番があり、各要素は0から始まるインデックスと呼ばれる番号でアクセスすることができます。

たとえば、先ほどのfruitsというリストの先頭には、"apple"が格納されていますね。print()を用いてこちらを画面上に表示してみます。

```
print(fruits[0])
```

0から始まるインデックス（番号）で
アクセスできるよう指定する。

　上記のコードのように、リスト名とインデックスを指定することで、リストの要素にアクセスすることができます。

　インデックスは0から始まるので、先頭の要素は0、その次の要素は1・・・となります。

　初めは間違いやすいポイントなので注意しましょう！

　このようにリストは、データをまとめて扱う際に便利なデータの構造です。ここからさらにリストの使い方について見ていきます。

append()

　append()は、リストに要素を追加するための機能です。

　すでに存在するリストの末尾に、新しい要素を追加することができます。先ほどと同じリストを作成し、その末尾にgrapeという要素を追加してみましょう。

```
fruits = ["apple", "banana", "orange"]
fruits.append("grape")
print(fruits)
```

fruits.append("grape")で
grapeという要素を追加する。

　2行目のようにappend()を使用し、カッコ内に追加したい要素を指定することで、リストの末尾に新しい要素を追加することができます。

　print()を用いて中身を表示すると、実際にgrapeという要素が追加されていることがわかります。

　次はリストから要素を削除する方法を説明します。

 ## pop()

　pop()は、リストから指定した位置の要素を削除するための機能です。

　先ほどと同じリストを作成し、今度は先頭から2番目の要素を削除してみましょう。

```
fruits = ["apple", "banana", "orange"]
fruits.pop(1)
print(fruits)
```

> 0から始まっているので、
> fruits.pop(1)で先頭から2番目の
> bananaという要素が削除されます。

　2行目のようにpop()を使用し、カッコ内に削除したい要素のインデックスを指定することで、リストから要素を削除することができます。

　print()で中身を表示すると、先頭から2番目にあったbananaという要素が削除されていますね。

 ## zip()

　zip()は、複数のリストの同じインデックスにある要素を、一組のデータとして扱いやすくするためのツールです。

　zip()の使い方を知るために、まずは先ほどと同じfruitsリストと、それぞれの価格を示したpricesリストを作成してみましょう。それらをもとにzip()を利用して、各フルーツとその価格をセットにしたfruits_pricesという名前のリストを作成します。

```
fruits = ["apple", "banana", "orange"]
prices = [300, 200, 100]

fruits_prices = list(zip(fruits, prices))
print(fruits_prices)
```

　なお zip() によって生成されるものはリストではないため、5行目では
zip() の外側を list() で囲い、生成結果をリストに変換しています。

　これだけだとそれほど便利には感じないかもしれませんが、後に登場す
る for 文（同じ処理を何度も繰り返して行なう際に利用する構文）と組み
合わせることで、zip() の威力が発揮されます。
　たとえば、複数のリストから同じ順番に要素を取り出して処理していき
たいときに、for 文と zip() の組み合わせを使います。そうすることで、
それぞれのリストから1つ目、2つ目、3つ目・・・と要素を取り出して、
それらを同時に使った処理などができるようになるのです。

 ## 二重リスト

　二重リストとは、リストの中に別のリストを入れたものです。マト
リョーシカのようなイメージでしょうか。二重リストは次ページのように
して作成します。

```
double_list = [[1, 2], [3, 4, 5], [6, 7]]
print(double_list)
```
[1, 2], [3, 4, 5], [6, 7]という、
複数のリストを作成する。

　たとえば、上記のような[[1, 2], [3, 4, 5], [6, 7]]という二重リストがある場合、最初のリスト[1, 2]は二重リストの先頭から1番目の要素、次のリスト[3, 4, 5]は二重リストの先頭から2番目の要素、最後のリスト[6, 7]は二重リストの先頭から3番目の要素となります。

　したがって、次のように先頭の要素を指定することで、[1,2]というリストが画面に表示されます。

```
double_list = [[1, 2], [3, 4, 5], [6, 7]]
print(double_list[0])
```
[1, 2]をリスト画面に
表示させるようにする。

　さらに二重リストでは、先頭の要素（上記の例では[1,2]）の中の先頭の要素（上記の例では1）を取り出すこともできます。その際は次ページのように指定します。

このようにして二重リストでは、リストの中にリストを含めることで、より複雑なデータ構造を表現することができます。

```
double_list = [[1, 2], [3, 4, 5], [6, 7]]
print(double_list[0][0])
```

1をリスト画面に
表示させるようにする。

リストを使いこなすことで、
データを効率的に扱うことができます！

3-5 Pythonの基本構文

 if文

3

Pythonの基礎を学ぼう

ここからはPythonの基本的な構文について学習していきます。まずはif文から学んでいきましょう。

if文はプログラムの中で特定の条件が満たされた場合に、指定した処理を実行するための命令です。if文は「if 条件式:」で構成されます。

最後の:を忘れないように気をつけましょう。たとえば、ある数値が10以上かどうかを判定する場合、次のようにif文を用いて記述することができます。

```python
if x >= 10:
    print("xは10以上です")
else:
    print("xは10未満です")
```

10以上であれば「xは10以上です」
10未満であれば「xは10未満です」
という文が出力される。

この場合、変数xが10以上であればif文の条件式が成立するので、「xは10以上です」という文が出力されます。

一方else文は、条件式が成立しなかった場合に実行される処理を指定する構文です。したがって、もし10未満であれば「xは10未満です」という文が出力されます。

条件分岐をさらに増やす場合には、elifを使うことができます。elif はelseとifを合わせたもので、条件式が成立しなかった場合に、さらに条件を指定して分岐を行なうことができます。

　たとえば、次のように使われます。

```
if x >= 20:
    print("xは20以上です")
elif x >= 10:
    print("xは10以上20未満です")
else:
    print("xは10未満です")
```

20以上であれば「xは20以上です」
10以上20未満であれば「xは10以上で20未満です」
10未満であれば「xは10未満です」
という文が出力される。

　この場合、変数xが20以上であれば「xは20以上です」という文が出力されます。もし10以上20未満であれば、「xは10以上20未満です」という文が出力されます。そして10未満であれば、「xは10未満です」という文が出力されます。

　このようにif文を使うことで、プログラムの処理を柔軟に分岐させることができます。

 ## for文

　for文は同じ処理を何度も繰り返して行なう場合に使われます。

　たとえば、1から5までの数字を順番に出力するプログラムを作成する場合を考えます。

　print(1)、print(2)……と順番に記述していくこともできますが、これはなかなか大変ですよね。こうした繰り返し処理で威力を発揮するのがプログラミングです。以下のようにfor文を使うことにより、たった2行で上記の処理を実行することができるのです。ちなみに、range(1, 6)というのは、1以上6未満の整数を表しています。

```
for i in range(1,6):
    print(i)
```

1以上6未満（つまり1, 2, 3, 4, 5）の
数値を順番に変数iに代入し、その値を出力する。

 ## continue

for文など繰り返し処理の中でよく使われるのがcontinueです。本書でも2-7で登場しました。

continueはその時点でのループ処理を中断し、次のループ処理に移る際に使われます。たとえば、次のようなコードがあったとします。

```
for i in range(1, 6):
    if i == 3:
        continue
    print(i)
```

このコードでは、range(1, 6)によって1から5までの数字が順番に取り出され、その数字を変数iに代入しています。

そしてif文でiが3の場合はcontinueを実行してループ処理を中断し、その後print(i)でiの値を表示しています。この場合、iが3のときはcontinueによってループ処理が中断されるため、その後に記述されたprint(i)は実行されません。よって出力した結果は次ページのようになります。

3

Python の基礎を学ぼう

```
1
2
4
5
```

　このように、一部の処理をスキップして次の処理に移る場合に
conitnueが使われます。

構文が理解できると、
分析の幅が格段に広がります！

3-6 matplotlibの使い方

matplotlibとは

matplotlibとはグラフ描画ライブラリの1つで、さまざまな種類のグラフを描画することができます。

主なメリットとしては、簡単にグラフを描画できることや、カスタマイズ性が高いことが挙げられます。初心者でも簡単に扱えることから、データ分析や科学計算の分野で広く使われています。

特に、matplotlibに含まれるpyplotというモジュールが便利であるため、本書でもグラフを作成する際にたびたび使用しました。
Pythonプログラム内でmatplotlib.pyplotを使用するには、次のようにimport文で読み込みます。

```
import matplotlib.pyplot as plt
```

コード内で使用する際にmatplotlib.pyplotと記述するのは面倒なので、pltと略して使うのが慣例となっています。
matplotlib.pyplotをimportした後、これを利用して円グラフを描く場合には「plt.pie()」、棒グラフを描く場合には「plt.bar()」などと記述します。
matplotlib.pyplotで作成できるグラフや、見た目の調整などに使われるメソッドはたくさんあるため、代表的なものを見ていきましょう。

主なグラフの種類

matplotlib.pyplotでは、さまざまなグラフを描画することができます。本書で利用したグラフの種類についてまとめてみます。

関数	グラフの種類	グラフの特徴
plt.pie()	円グラフ	割合を表すときに役立つ
plt.bar()	棒グラフ	量の大小を示すときに役立つ
plt.plot()	折れ線グラフ	時系列での推移を示すときに役立つ
plt.scatter()	散布図	2つのデータの相関関係を表すときに役立つ
plt.imshow()	ヒートマップ	値の大小を視覚的に表現するときに役立つ
plt.boxplot()	箱ひげ図	データのばらつき具合を表すときに役立つ
plt.hist()	ヒストグラム	量的データの分布の様子を見るのに用いられる

グラフごとにどのような特徴があるかも含めて理解することで、効果的なグラフ作成を行なうことができます。

 ## 主なメソッドの種類

matplotlib.pyplotでは、見た目の調整などを行なうメソッドもたくさん用意されています。

本書で利用したメソッドについて、次ページに表でまとめました。

メソッド	説明
plt.figure()	新しい図を作成する
plt.show()	作成した図を表示する
plt.title()	図のタイトルを設定する
plt.xlim()	x軸の表示範囲を指定する
plt.ylim()	y軸の表示範囲を指定する
plt.hlines()	水平線を引く
plt.vlines()	垂直線を引く
plt.legend()	凡例を表示する
plt.colorbar()	カラーバーを図に追加する
plt.clim()	カラーマップの範囲を指定する
plt.savefig()	作成した図を画像として保存する

グラフやメソッドの意味を踏まえて
CHAPTER 2のグラフ作成を
復習してみてください！

Python学習に役立つ参考資料

 WEB
Progate

　Progateはオンラインでプログラミングを学習できるサービスで、初心者にとてもおすすめです。最大の長所は、操作が直感的で非常にわかりやすく、リアルタイムでコードの動作を確認しながら学習を進められる点にあります。

📖 BOOK
『ゼロからやさしくはじめるPython入門』

クジラ飛行机（著）／マイナビ出版／2018年1月刊行
　プログラミング初心者におすすめの書籍で、私が初めてプログラミングに触れたのもこの本がきっかけでした。簡単なコードを動かしながら学習することで、無理なく力をつけられるようになっています。

 WEB
Pythonプログラミング入門

　東京大学の授業で使用されている教材で、なんとWeb上にて無料でアクセスすることができます。網羅性の高さが特徴で、疑問点が生じた時などに教科書のように利用すると便利です。

 WEB
PyQ（パイキュー）

　PyQは、Pythonをオンラインで学習できるサービスで、実際の開発シーンに近い状況でのスキルアップが可能です。実践的な問題が多いので、中上級者におすすめです。

CHAPTER 4

顧客データを
分析してみよう

ここでは、「売上」「集客」「SNS」の３つを、Python
を使って分析する手法を、日本プロ野球12球団のデー
タを用いて解説します。

マーケティングで必要となる３つの分析方法をマス
ターして、ぜひ気になる会社で分析してみてください！

分析に用いる データを準備する

データの準備

　CHAPTER 4では、プロ野球12球団のデータをもとに分析をしていきます。

　実際に、会社のデータを分析する際は、社内で保有している数値や、対象会社のIR情報からデータを取得して分析していきますが、今回使用するデータをExcelファイルにまとめました。

　以下のQRコードを読み取って（あるいは、URLで検索し）、データをダウンロードしてください。

ダウンロードURL

https://note.com/amapen/n/n86c90e2c09d1

ダウンロードQRコード

データのダウンロードが完了したら、
いよいよ分析に入りましょう！

4-1 売上に関する分析

総資産の分析

ここでは、官報に掲載されている決算公告のデータを元に、プロ野球チームの財務面について簡単な分析をしていきます。

まずは、手元にダウンロードしたファイルの中から「2021_finance.csv」をアップロードし、CHAPTER 2と同じ流れでモジュールをインポートしていきます。

```
#モジュールのインポート
! pip install japanize_matplotlib
import japanize_matplotlib
import pandas as pd
import matplotlib.pyplot as plt
```

次に、データの読み込みです。

ファイル名と書かれているところは、2021_finance.csvなど、自分がアップロードしたファイルの名前に書き換えておきましょう。

```
#データの読み込み
df = pd.read_csv('2021_finance.csv')
df
```

データを読み込むところまでできたでしょうか。

データの中身は、各球団の決算公告における資産と負債、純資産の額です。なお、プロ野球12チームのうち巨人と中日の2チームは決算を公告

4

顧客データを分析してみよう

していないため、10チームのデータのみが入っています。

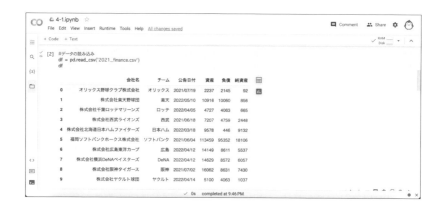

 ## 総資産額の棒グラフを作成する

ではまず、各球団の総資産額を棒グラフにしてみましょう。
棒グラフの作成にはplt.bar()を用いるのでしたね！
実行するコードは次のとおりです。

```
#棒グラフの作成
plt.figure(figsize=(10,6))
plt.bar(df['チーム'], df['資産'])
plt.title('球団別の総資産額')
plt.show()
```

次のページのようなグラフが作成できればOKです。

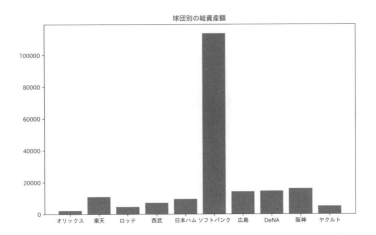

球団別の総資産額

ソフトバンクの総資産だけが他のチームと比べて圧倒的に多いことがわかりますね。これはどうしてなのでしょうか。

じつはプロ野球12チームの中で、完全に自分たちで球場を所有しているのはソフトバンクホークスだけです。それ以外のチームは自治体などが所有している球場を借りていたり、グループ企業や親会社などが球場を所有していたりするので、本拠地の球場が資産額に入っていません。

そのため、ソフトバンクの資産額だけが群を抜いて多くなっているのです。

経営の健全性がわかる「自己資本比率」の分析

次に各球団の自己資本比率を分析していきましょう。

自己資本比率とは、総資本のうち純資産の占める割合のことで、どのくらい自己資本に依存しているかを示すものです。

一般的に自己資本比率が高い場合は、総資本のうち返済しなければならない負債（他人資本）によってまかなわれている部分が少ないため、経営の健全性が高いとされています。

では早速各球団の自己資本比率を調べていきましょう。

現在のデータには自己資本比率が書かれていないため、まず自己資本比率を算出するところから始めます。「自己資本比率 ＝ 純資産 ÷（負債 ＋

純資産)」で表されるため、次のコードを実行して自己資本比率の列を追加しましょう。

```
#自己資本比率の算出
df['自己資本比率'] = df['純資産'] / (df['純資産'] + df['負債'])
df
```

　正しく実行できれば、実際に自己資本比率の列が追加されたデータが表示されたはずです。

　無事に列を追加できたら、各球団の自己資本比率を棒グラフで可視化してみましょう。実行するコードは次のとおりです。

```
#棒グラフの作成
plt.figure(figsize=(10,6))
plt.bar(df['チーム'], df['自己資本比率'])
plt.title('チーム別の自己資本比率')
plt.show()
```

　コードを実行すると、次ページのようなグラフを描くことができたと思います。

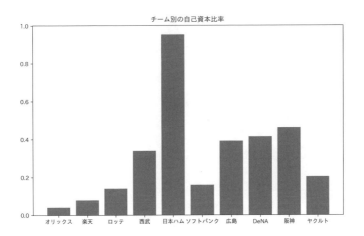

4

　日本ハムの自己資本比率だけが、異様に高いことがわかります。この背景にも、先ほどと同じように球場の問題が関連しています。

　日本ハムは、2022年シーズンまで札幌ドームという球場を本拠地としていました。この札幌ドームは日本ハムファイターズが札幌市の第三セクターである札幌ドーム株式会社から借りる形で使用していました。

　しかし、待遇面の問題などから自前の新球場を造ることを計画していた日本ハムファイターズは、地道に利益を蓄積して2023年シーズンから新球場を本拠地としました。

　今回のデータとして使用した決算公告は2022年3月に出されたものですから、ちょうど新球場ができる直前の利益が積み立てられた状態ということになりますね。そのようなことから、日本ハムの自己資本比率は他球団と比べて非常に高くなっているのです。

ほかの会社で分析してみたり、
自己資本比率以外のほかの指標で分析してみたり
気になる会社を可視化してみましょう！

集客に関する分析

 球場ごとの来場者数比較

　ここでは、2022年のプロ野球における試合別観客動員数のデータをもとに、球場ごとの来場者数を分析していきます。(データは「データで楽しむプロ野球」https://baseballdata.jp/より提供)

　まずは手元にダウンロードしたファイルの中から「2022_audience.csv」をアップロードし、モジュールをインポートしていきます。

```
#モジュールのインポート
! pip install japanize_matplotlib
import japanize_matplotlib
import pandas as pd
import matplotlib.pyplot as plt
```

　次にデータを読み込みます。

　ファイル名と書かれているところは、2022_audience.csvなど、自分がアップロードしたファイルの名前に書き換えておきましょう。

```
#データの読み込み
df = pd.read_csv('2022_audience.csv')
df
```

　無事データを読み込むことができれば、次ページのような画面になるはずです。

```
✓ [2]  #データの読み込み
  0s   df = pd.read_csv('2022_audience.csv')
       df
```

	年	月	日	祝日	曜日	Hチーム	Vチーム	球場	本拠地	開始	Hスコア	Vスコア	観客動員数	試合時間	
0	2022	3	25	False	金	ソ	日	PayPayドーム	True	18:30	4	1	35141	3:25	
1	2022	3	25	False	金	西	オ	ベルーナドーム	True	18:00	0	6	22646	2:48	
2	2022	3	25	False	金	楽	ロ	楽天生命パーク	True	16:00	0	4	20564	2:58	
3	2022	3	25	False	金	D	広	横浜スタジアム	True	18:30	3	11	32436	3:31	
4	2022	3	25	False	金	阪	ヤ	京セラドーム	True	18:00	8	10	35510	3:55	
...	...	...	...	...	...	...	...	...	...	...	...	...	...	...	
853	2022	10	2	False	日	ロ	ソ	ZOZOマリン	True	18:00	5	3	29312	3:27	
854	2022	10	2	False	日	D	巨	横浜スタジアム	True	14:00	2	3	32817	3:21	
855	2022	10	2	False	日	阪	ヤ	甲子園	True	14:00	3	3	42539	4:10	
856	2022	10	2	False	日	広	中	マツダスタジアム	True	14:00	0	3	28009	3:00	
857	2022	10	3	False	月	ヤ	D	神宮	True	18:00	8	2	29756	2:56	

　試合ごとに開催日や開催場所、開始時刻、観客動員数などが記載されているデータだとわかりますね。

　データの読み込みが完了したら、球場ごとにデータを分けていきます。
　プロ野球は、地方球場で開催されることもありますが、今回はわかりやすくするために本拠地での試合のみに絞って分析することにします。
　データ内に「本拠地」という名前の列があり、12球団いずれかの本拠地での試合の場合にはTrue、どのチームの本拠地でもない球場での試合の場合にはFalseが入っているので、まずはこの「本拠地」列がTrueのデータのみを抽出してdf_homeと名づけます。
　コードは次のとおりです。

```
#本拠地開催の試合のみを抽出
df_home = df[df['本拠地']==True]
df_home['球場'].value_counts()
```

　本拠地開催の試合だけを抽出できたら、あとはデータを球場ごとに分けていきます。
　先ほどのコードの3行目でvalue_counts()を利用した際に、df_homeのデータに含まれているすべての球場が表示されましたね。そのため前段階の準備として、すべての球場をstadiumsという名前のリストに格納しておきましょう。

```
#球場名をリストに格納
stadiums = ['PayPayドーム', 'ベルーナドーム', '楽天生命パーク',
'京セラドーム', 'ZOZOマリン', '札幌ドーム',
    '横浜スタジアム', '東京ドーム','神宮', 'マツダスタジアム',
'バンテリンドーム', '甲子園']
```

 ## グラフを作成する

　ここからは結果をグラフ化するための準備をしていきます。

　はじめに各球場の平均観客動員数を格納するための空リストを作成し、stadium_averageと名づけておきましょう。

　次に、for文を使用して先ほど作成した全球場のリストから球場名を1つずつ取り出し、各球場のデータを抽出します。抽出できたらmean()を用いて観客動員数の平均値を算出し、stadium_averageに追加していきます。

　処理が終わると、stadium_averageの中には各球場の平均観客動員数が入っているはずです。コードは次ページのとおりです。

```
#結果を格納する空リストを作成
stadium_average = []

#球場名を順番に代入
for stadium in stadiums:
    stadium_data = df_home[df_home['球場']==stadium]
    average = stadium_data['観客動員数'].mean()
    stadium_average.append(average)

stadium_average
```

ここまでできたら、あとは実際にグラフを図示しましょう。

今回は球場別の平均観客数の規模を直感的に把握できるようにしたいので、棒グラフを使うことにします。コードは次のとおりです。

```
#棒グラフの作成
plt.figure(figsize=(20,8))
plt.bar(stadiums,stadium_average)
plt.title('球場別の観客動員数')
plt.show()
```

2行目のplt.figure(figsize=(20,8))という部分では、グラフのサイズを指定しています。

サイズを指定せずに描画すると、x軸の球場名が重なってしまって見づらいため、少し大きめのグラフを書くよう命じています。

次ページのようなグラフが作成できれば完了です！

4

顧客データを分析してみよう

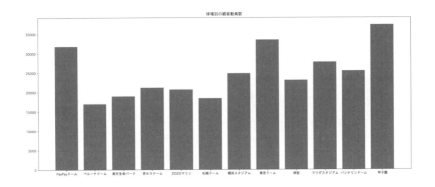

球場別の観客動員数

　阪神タイガースが本拠地とする阪神甲子園球場がもっとも多く、次に読売ジャイアンツが本拠地とする東京ドームが多い、ということがわかりますね！

　また、左側の6チームがパ・リーグ、右側の6チームがセ・リーグとなっていて、パ・リーグよりもセ・リーグのほうが来場者数が多いことがわかります。

曜日ごとの来場者数比較

　次は曜日ごとの来場者数に着目してみましょう。

　流れは先ほどと同じです。はじめに、すべての曜日名を格納したリストを作成しましょう。コードは次のとおりです。

```
#曜日名をリストに格納
days = ['月', '火', '水', '木', '金', '土', '日']
```

　次は結果をグラフ化するための準備をしていきます。

　各曜日の平均観客動員数を格納するための空リストを作成し、day_averageと名づけておきましょう。

　そして、for文を使用して先ほど作成した曜日のリストから曜日名を1つずつ取り出し、各曜日のデータを抽出します。抽出できたらmean()を用いて観客動員数の平均値を算出し、day_averageに追加していきます。

　処理が終わると、day_averageの中には各球場の曜日別平均観客動員数が入っているはずです。コードは次のとおりです。

```python
#結果を格納する空リストを作成
day_average = []

#曜日名を順番に代入
for day in days:
    day_data = df_home[df_home['曜日']==day]
    average = day_data['観客動員数'].mean()
    day_average.append(average)

day_average
```

　リストの作成ができたら、実際にグラフを図示しましょう。

　今回は曜日別の平均観客数の推移を把握できるようにしたいので、折れ線グラフを使うことにします。コードは次のとおりです。

```python
#折れ線グラフの作成
plt.plot(days, day_average)
plt.title('曜日別の観客動員数')
plt.show()
```

　次ページのようなグラフが作成できれば完了です！

　観客数が多いのは月曜・土曜・日曜で、少ないのは火曜・水曜・木曜、金曜はちょうどその間くらいの人数だとわかりますね。

4

顧客データを分析してみよう

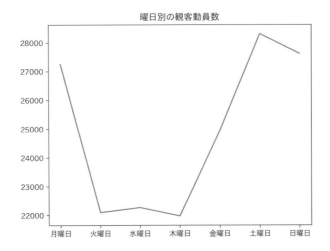

曜日別の観客動員数

　このグラフを見て、月曜日の観客数が土日に匹敵する規模であることを疑問に思ったかもしれません。

　基本的にプロ野球は火曜から日曜にかけて行なわれ、月曜はお休みであることが多いです。しかし月曜が祝日の場合や、イベントが開催される場合などは、月曜に試合を行なうこともあります。こうした事情から、月曜日の試合には土日並みの観客動員数が入っていると推測されます。

対戦カードごとの来場者数比較

　次は対戦カードごとの来場者数に着目してみましょう。どのチーム同士の対戦が人気なのでしょうか？

　まずはセリーグ同士の対戦に注目していきます。

　今回のデータでは、「Hチーム」という名前の列にホームチームが、「Vチーム」という名前の列にビジターチームが、それぞれ頭文字で記入されています。そのため、セリーグ6チームの頭文字をcentral_teamsという名前のリストに格納していきます。なお、DeNAのDは半角大文字を利用します。コードは次ページのとおりです。

```
#セリーグのチーム名の頭文字をリストに格納
central_teams = ['阪', '広', 'D', '巨', 'ヤ', '中']
```

　ここから各対戦カードの平均来場者数を算出していきます。

　計算を行なう前に、結果を格納するための空リストを作成して central_numbersと名づけておきましょう。

　空リストが作成できたら、for文を用いてチームごとのホームゲームのみを抽出したデータを作成し、home_dataと名づけます。

　たとえば1回目のループであれば、「Hチーム」の列が「阪」のデータのみが抽出されることになります。

　さらに、この中でもう一度for文を使うことで、ホームゲームのデータを相手チームごとに分けて抽出します。「Hチーム」が「阪」のデータの中から、「Vチーム」が「広」のデータや、「Vチーム」が「D」のデータなどが、順番に抽出されていきます。抽出されたデータはhome_visitor_dataと名づけることにします。

　そこまでできたら、観客動員数の平均値をmean()で計算し、lstと名づけた空リストに格納していきます。さらにvisitorの中にすべてのチーム名を入れ終わったら、初めに作成したcentral_numbersの中にlstを格納していきましょう。

　for文が2重に出てくるなど少し複雑ですが、少しずつ理解していけば大丈夫です。コードは以下のとおりです。

```
#結果を格納する空リストを作成
central_numbers = []

#homeの中にチーム名を順番に代入
for home in central_teams:
  home_data = df[df['Hチーム']==home]
  lst = []
  #visitorの中にチーム名を順番に代入
  for visitor in central_teams:
```

顧客データを分析してみよう

```
    home_visitor_data = home_data[home_data['Vチーム']==visitor]
    average = home_visitor_data['観客動員数'].mean()
    lst.append(average)
  central_numbers.append(lst)

central_numbers
```

　これで、各対戦カードの平均観客動員数を格納した２重リストが作成で
きました。
　この２重リストをもとにして、グラフを作成します。
　今回は観客数の大小がわかりやすくなるように、ヒートマップで表示し
てみましょう。ヒートマップの作成にはplt.imshow()を利用するので
したね。コードは次のとおりです。

```
#ヒートマップの作成
plt.figure(figsize=(8, 8))
plt.imshow(central_numbers, cmap='OrRd')

#見た目の調整
plt.colorbar()
plt.title('対戦カード別の平均観客動員数（セリーグ）')
plt.xticks([0, 1, 2, 3, 4, 5], central_teams)
plt.yticks([0, 1, 2, 3, 4, 5], central_teams)
plt.xlabel('ビジターチーム')
plt.ylabel('ホームチーム')
plt.show()
```

　見た目の調整の部分で、plt.xticks()やplt.yticks()という箇所があ
ります。ここではそれぞれx軸とy軸の目盛に表示する値を指定しており、
今回はどちらにもチーム名が順番に来るように設定しています。次ページ
のようなグラフが作成できれば完了です！

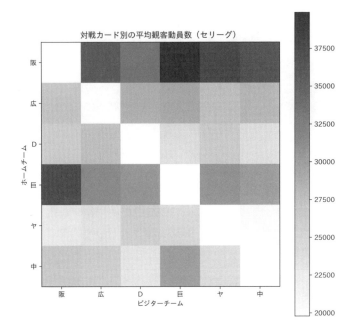

グラフを見ると、ホームチームが阪神の試合で色が濃くなっており、観客動員数が多いことがわかります。

特にホームチームが阪神、ビジターチームが巨人の試合はもっとも赤色が濃くなっており1番人気のようです。

また、ホームチームが巨人でビジターチームが阪神の試合も目立って赤くなっています。阪神と巨人の試合は「伝統の一戦」と呼ばれているだけあって、非常に人気度の高い組み合わせだといえますね！

逆に、ヤクルトがホームチームの試合では薄い色の箇所が多く、あまりお客さんが入っていないようです。

この分析方法を転用すると、
イベントの集客数や、商品の売れ行きの動向など
さまざまなことがわかります！

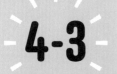

SNSに関する分析

 インプレッション数の分析

次は集客に欠かせないツールといえるSNSのデータを分析していきます。まずは先ほど手元にダウンロードしたファイルの中から「X_data.csv」をアップロードし、モジュールをインポートしていきます（出典は知人の許諾を得たデータです）。

```
#モジュールのインポート
! pip install japanize_matplotlib
import japanize_matplotlib
import pandas as pd
import matplotlib.pyplot as plt
```

次にデータの読み込みです。ファイル名と書かれているところは、X_data.csvなど、自分がアップロードしたファイルの名前に書き換えておきましょう。

```
#データの読み込み
df = pd.read_csv('X_data.csv')
df
```

無事データを読み込むことができれば、以下のような画面になるはずです。X（Twitter）の投稿（ポスト）ごとに日時やインプレッション数、いいね数、リポスト数などが記載されているデータだとわかりますね。

```
#データの読み込み
df = pd.read_csv('x_data.csv')
df
```

	日付	時	分	インプレッション	エンゲージメント	エンゲージメント率	リポスト	返信	いいね	ユーザープロフィールクリック	...	ハッシュタグクリック	詳細クリック	固定リンクのクリック数	アプリを表示	アプリインストール	フォローしている	ポストをメール送信	ダイヤル式電話	メディアの再生数	メディアのエンゲージメント数
0	2021/01/01	20	31	276	16.000000	0.057971	1	0	14	0	...	0	1	0	0	0	0	0	0	0	0.0
1	2021/01/04	20	27	20	9.000000	0.450000	0	0	5	0	...	0	0	0	0	0	0	0	0	0	0.0
2	2021/01/05	17	6	18	6.000000	0.333333	0	0	5	0	...	0	0	0	0	0	0	0	0	0	0.0
3	2021/01/06	18	8	22	8.000000	0.363636	1	1	2	0	...	0	1	0	0	0	0	0	0	0	0.0
4	2021/01/06	20	34	46	4.000000	0.086957	0	0	2	0	...	0	1	0	0	0	0	0	0	1	1.0
...											...										
492	2022/12/29	18	28	118882	6337.000000	0.053305	37	0	212	340	...	0	397	0	0	1	0	0	28731	5324.0
493	2022/12/30	20	8	7486	78.000000	0.010419	4	1	28	11	...	0	5	0	0	0	0	0	0	0.0

インプレッション数の推移をグラフ化する

インプレッション数とは、ポストがユーザーのタイムラインに表示された回数のことです。

推移を表現するために、グラフの種類は折れ線グラフにしてみましょう。

折れ線グラフを作成するときのコードはplt.plot()でしたね。コードは次のとおりです。

```
#折れ線グラフの作成
plt.plot(df['インプレッション'])
plt.title('インプレッション数の推移')
plt.xlabel('ポスト数')
plt.ylabel('インプレッション数')
plt.ylim(0, 5000)
plt.show()
```

次ページのようなグラフが作成できれば完了です。

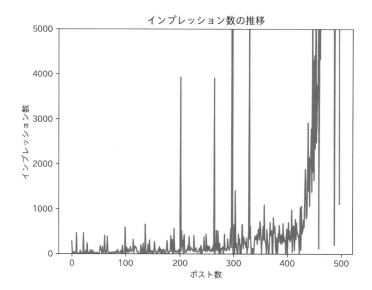

ポスト数が200を超えたあたりからときどきインプレッション数の多いポストが出てくるようになり、450くらいで一気にインプレッション数が増加したことがわかりますね！

突発的にインプレッション数が多いポストにはどんな特徴があるか、インプレッション数が一気に増え始めたのはいつのタイミングだったのか、などを探ることでより深い洞察が得られるかもしれません。

エンゲージメント数の分析

前項ではインプレッション数について分析してきました。今度はエンゲージメント数を分析してみましょう。

エンゲージメント数とは、ユーザーがいいねやリポストなどでポストに反応した回数のことをいいます。

　まずは先ほどと同じようにエンゲージメント数の推移をグラフ化してみます。コードは次のとおりです。

```
#折れ線グラフの作成
plt.plot(df['エンゲージメント'])
plt.title('エンゲージメント数の推移')
plt.xlabel('ポスト数')
plt.ylabel('エンゲージメント数')
plt.ylim(0, 2000)
plt.show()
```

　次のようなグラフが作成できれば完了です。

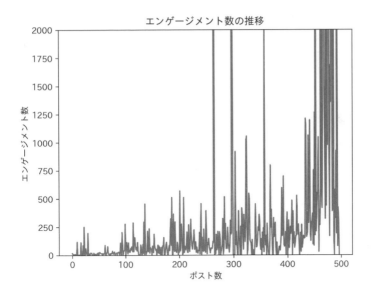

ポスト数が250を超えたあたりからエンゲージメント数の多いツイートが出始め、450くらいから一気にエンゲージメント数が増加したことがわかります。

　インプレッション数の推移グラフと見比べると、ポスト数が450くらいのタイミングで一気に増加した点は一致していますね！

　一方で、インプレッション数が突然多くなっているときにエンゲージメント数も目立って多いかというと、必ずしもそういうわけではなさそうです。

　では、このインプレッション数とエンゲージメント数の間にどのような関係があるかをみてみます。

　2つの変数の関係性を調べたいので、グラフの種類は散布図を利用してみましょう。散布図を描くときにはplt.scatter()を使うのでしたね。コードは次のとおりです。

```
#散布図の作成
plt.scatter(df['インプレッション'], df['エンゲージメント'],alpha=0.5)

#見た目の調整
plt.title('インプレッションとエンゲージメントの関係')
plt.xlabel('インプレッション')
plt.ylabel('エンゲージメント')
plt.xlim(0, 1000)
plt.ylim(0, 500)
plt.show()
```

　次ページのようなグラフが作成できれば完了です。

　多少右肩上がりの関係があるようにも見えますが、必ずしもインプレッション数が多ければエンゲージメント数も多いというわけではなさそうですね。

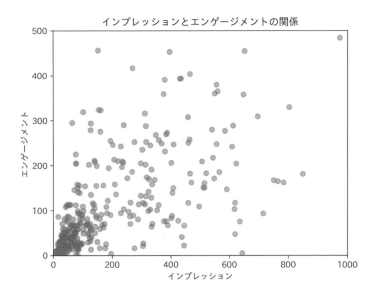

 # インプレッション数の多い時間帯の分析

X（Twitter）の投稿の時間帯についても分析してみましょう。

データには「時」「分」という列があり、これらの列にはポストの時刻が入っています。今回はポストの「時」に注目して、インプレッション数の多い時間帯を調べていきましょう。

方法としては、for文を使って各時間帯におけるインプレッション数の平均値を調べ、その値をリストに格納していきます。

「時」には0から23までの値が入っているので、それぞれの時間帯におけるポストをtime_tweetとして抽出し、mean()を使ってインプレッション数の平均値を算出します。

そして算出した値を棒グラフにして、インプレッション数の多い時間帯を調べていきます。コードは次ページのとおりです。

4

顧客データを分析してみよう

```
#データ格納用のリストを作成
x, y = [], []

#0時台から23時台までのツイートを順に抽出し、インプレッション数の
平均をyに格納
for i in range(24):
  x.append(i)
  time_tweet = df[df['時']==i]
  y.append(time_tweet['インプレッション'].mean())

#棒グラフの作成
plt.bar(x, y)
plt.title('時間帯別の平均インプレッション数')
plt.xlabel('時間帯')
plt.ylabel('平均インプレッション数')
plt.show()
```

　次ページのようなグラフが作成できれば完了です。

　ポスト数の少ない時間帯は、ばらつきが大きかったり、極端にインプレッション数の多いポストが1つあることで平均値も引っ張られることも考えられます。

　しかし、このグラフから見る限り、夜の遅い時間帯のほうがインプレッション数は増えやすいのかもしれませんね。

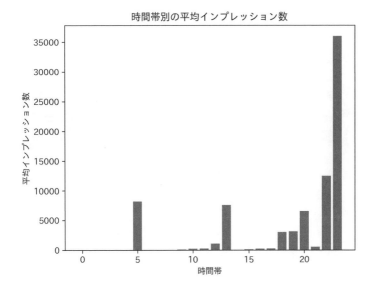

 ツイート数の多い時間帯の分析

では、実際のポストはどの時間に多くなされているのでしょうか。

先ほどと同じように、各時間帯のツイート数を棒グラフで表してみましょう。

今度はポスト数を数えたいので、それぞれの時間帯におけるポストをtime_tweetとして抽出し、len()を使用してポストの総数をカウントしていきます。len()はリストなどの要素数をカウントする際に使う関数です。非常に使用頻度の高い関数なので、覚えておきましょう！

コードは次ページのとおりです。

```
#データ格納用のリストを作成
x, y = [], []

#0時台から23時台までのポストを順に抽出し、各時間帯の総ポスト数を
yに格納
for i in range(24):
    x.append(i)
    time_tweet = df[df['時']==i]
    y.append(len(time_tweet))

#棒グラフの作成
plt.bar(x, y)
plt.title('時間帯別のポスト数')
plt.xlabel('時間帯')
plt.ylabel('ポスト数')
plt.show()
```

次ページのようなグラフが作成できれば完了です。

実際のポストは18時台から20時台に多くされているようです。

インプレッション数を増やすという目的で考えるなら、もう少し投稿の
時間帯を遅らせたほうがよいかもしれませんね！

時間帯別のポスト数

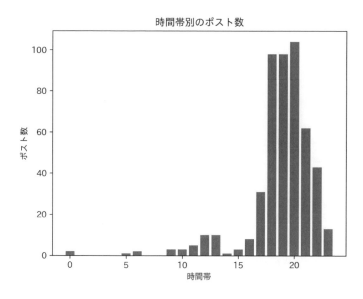

SNSの分析を活用すると
より多くの人の目に留まる
効果的な発信が可能になります！

プログラミングにおける
ChatGPT活用法

プログラミングに役立つChatGPT

　近年、テクノロジーの進化は驚異的なスピードで進行しています。中でも、生成AI(Generative AI)の領域における技術の飛躍的な進化は注目に値します。その中心に位置するのが、OpenAIが開発したGPTシリーズとその応用であるChatGPTです。世界中で大きな話題となったため、名前を聞いたことのある方や実際に利用している方も多いことでしょう。

　ChatGPTの進化はプログラミングの世界にも大きな変革をもたらしています。従来、プログラミングは専門的な知識を持った人々の手によって行なわれてきました。しかしChatGPTの出現により、プログラムのコードを書く過程が変わりつつあります。

　今日では具体的な要件や機能をChatGPTに伝えるだけで、必要なコードを生成してもらうことが可能になりました。たとえば、データを分析してグラフを描くプログラムや、特定の操作を自動化するスクリプトなど、さまざまな要件に応じたコードをChatGPTは提供します。

　そこでこのコラムでは、Pythonでプログラミングをする際に役立つChatGPTの使い方をご紹介しようと思います。

エラー対処

　プログラミングにはエラーの発生がつきもので、エラーと格闘しながらスキルが身についていくものです。しかしエラーメッセージを読み解くのは難しく、どこに問題があるのかわからず苦戦することも多いです。特に初心者にとってはエラー対処が巨大な壁であり、数多くの挫折者を産んできました。そこでChatGPTを活用したエラー対処法についてもご紹介し

ていきます。

たとえば、Hello, World!と画面に出力するプログラムを書くとします。正しくはprint('Hello, World!')ですが、print('Hello, World!)のように最後のクオーテーションマークが抜けており、エラーが発生したとしましょう。

その場合、以下のようにChatGPTに質問することで、エラーの原因と対処法を教えてくれます！

Pythonのコードを実行した際にエラーが発生しました。エラーの原因を特定し、改善方法を教えてください。

・実行したコード
```
print( 'Hello, World!)
```
・発生したエラー
```
 File "<ipython-input-6-90c55c13cab7>", line 1
 print('Hello World!)
 ^
SyntaxError: unterminated string literal (detected at line 1)
```

ChatGPTに対する質問のフォーマットとしては、最初にChatGPTにやってほしいことを書きます。先ほどの例だと「Pythonのコードを実行した際にエラーが発生しました。エラーの原因を特定し、改善方法を教えてください。」です。そしてその下に、実行したコードと発生したエラーメッセージも記載します。

このようにして実際にChatGPTに質問してみると、次のような返事が返ってきました。

ed string literalとあります。これは、文字列の終了が見つからないために発生しているエラーです。

コードを見ると、print('Hello, World!)の行でシングルクォート（ 'および' ）が正しく対応していません。正しいクォート記号を使用して修正すると、次のようになります。

```python
print('Hello, World!')
```

エラーメッセージを見ると、SyntaxError: unterminatこのように修正すると、文字列が適切に終了し、エラーが解消されるはずです。クォートの種類はダブルクォート（"）でも構いません。

```python
print("Hello, World!")
```

どちらの形式も正しい結果を返します。確認したい場合は、修正したコードを再度実行してみてください。

　クオーテーションマークが正しくペアになっていないことを指摘し、修正後のコードも教えてくれました。コードが複雑だったり長かったりすると適切な修正方法が返ってこないこともありますが、エラー対処のヒントとなることが多いです。エラーの原因や対処法がわからない時にはぜひ試してみてください。

コード改良

　エラーの対処だけでなく、コードの改良にもChatGPTを活用することができます。
　たとえば、以下のように円グラフを出力するコードを書いたとしましょう。

```
#円グラフの作成
counts = df['pitch_type'].value_counts()
plt.pie(counts, labels=counts.index, counterclock=False,
startangle=90)
plt.show()
```

　出力するグラフに「大谷投手の球種構成」というタイトルをつけたい場合には、以下のようにChatGPTに質問することで、コードの改良方法を教えてくれます！

 以下は円グラフを作成するPythonコードです。出力するグラフに「大谷投手の球種構成」とタイトルをつける方法を教えてください。
#円グラフの作成
counts = df['pitch_type'].value_counts()
plt.pie(counts,labels=counts.index,counterclock=False,
startangle=90)
plt.show()

　質問のフォーマットとしては、コードの内容と新たにやりたいことを伝え、実際のコードをその後に記載します。
　実際にChatGPTに上記の質問を投げかけると、次のように返ってきました。

円グラフにタイトルを追加するには、plt.title()関数を使用します。以下は、あなたのコードにタイトルを追加する方法です。

```python
import matplotlib.pyplot as plt

# 仮のデータフレームを作成
# これはサンプルデータです。実際のデータフレームに合わせてください。
# df = ...

# 円グラフの作成
counts = df['pitch_type'].value_counts()
plt.pie(counts, labels=counts.index, counterclock=False, startangle=90)

# グラフにタイトルを追加
plt.title("大谷投手の球種構成")

# グラフを表示
plt.show()
```

上記のコードでは、plt.title("大谷投手の球種構成")で円グラフにタイトルを追加しています。"大谷投手の球種構成"は、表示したいタイトルに置き換えてください。

　plt.title()を使うようにアドバイスしつつ、実際のコードも記載してくれていますね！　このようにして、ちょっとしたコードの改良であればかなりの精度で方法を教えてくれます。

コード生成

　特にデータ分析に関しては、ChatGPTのAdvanced data analysisという機能を使うと、なんと自動的にコードを生成しながら分析を手伝ってくれます。

　Code Interpreterは2023年10月現在では、月額20ドルの有料会員のみが使えるようになっていますが、非常に便利な機能です。

　使い方としては、SettingsのBeta featuresという欄からAdvanced data analysisにチェックを入れます。そしてChatGPT

との対話画面に戻り、GPT-4→Advanced data analysisとクリックすることで利用できます。

　たとえば、本書で扱った2022年の大谷翔平投手のデータをAdvanced data analysisアップロードしてみましょう。メッセージを入力する場所の左側にある＋ボタンからファイルをアップロードし、「このデータを読み込んで、データの内容を確認してください。」と指示を送ります。

　すると、下記のような返答が返ってきました。データについて特に何も説明していないにもかかわらず、どんなデータが含まれているかを理解しているようですね。

承知しました。ファイル "2022_Ohtani.csv" を読み込みます。
まず、ファイルの最初の数行を表示して、データの内容を確認します。
ファイル "2022_Ohtani.csv" には多くの列が含まれています。表示されたのは最初の数行だけですが、大谷選手に関するピッチングやバッティングの詳細データのようです。
何か特定の分析や操作を行いたいことがあれば、教えてください。

　次に、「大谷投手の球種割合を円グラフで可視化してください。」と指示してみます。すると、下記のようにPythonのコードが実行され、見事に円グラフが描画されました！

```
import matplotlib.pyplot as plt

# Group by pitch type and count each type
pitch_counts = ohtani_data['pitch_type'].value_
counts()

# Plot the pitch type distribution as a pie chart
plt.figure(figsize=(10, 7))
pitch_counts.plot.pie(autopct='%1.1f%%',
startangle=140, colors=plt.cm.Paired.colors)
plt.title("Shohei Ohtani's Pitch Type Distribution (in
2022")
plt.ylabel('')   # Remove the default label for a
cleaner look
plt.show()
```

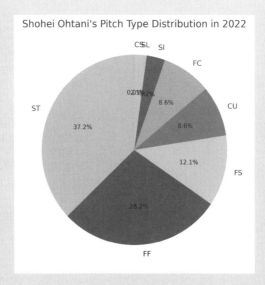

　このように、ChatGPTをはじめとするAIの発展スピードは目を見張るものがあります。これらの技術を積極的に活用することで、より効率的にプログラミングを進めることができます。

データ分析を有効活用する「伝え方」

これまで、グラフ作成や売上分析、集客分析、SNS分析など、分析の基礎について解説してきました。最後に、感覚派の選手も多い野球チームで培った、ビジネス現場でも活きる分析結果の「伝え方」について紹介します。分析するだけで終わらず、分析結果を成果につなげる「伝え方」をぜひ実践してみてください。

5-1 データ分析と データ活用の違い

「行動変容」がなければ意味がない

CHAPTER 4まで、分析のやり方について、さまざまな事例を交えながら解説してきました。

ところで、そもそも分析は何のために行なうものでしょうか？

「個人の経験に基づく主観的な知識を客観的で共有可能なものにする」「今まで気づかなかったような法則を見つける」など、いろいろな答えがあると思いますが、最終的には何かを「知る」ことや「見つける」ことが目的ではありません。

得られた知識や発見をもとに、現実世界において行動変容を生み出すことが目的のはずです。

では、生み出される行動変容を目的とした場合、データ分析の価値はどのようにして決まるのでしょうか。

私は、次の式で定義づけられると考えています。

 分析の価値 = 分析結果の価値 × 活用度（%）

この基準で考えると、活用度が分析の価値に大きな影響を与えることがわかります。

分析により得られた10の知見を30%実行するよりも、5の知見を80%実行するほうが、価値があるということになります。

分析から得られた知見の価値が2倍大きかったとしても、活用度次第では最終的な価値が小さくなってしまうこともあるわけです。

そのため、データ分析のプロジェクトにおいては、分析のノウハウに関する知識も当然重要ですが、それと同じくらい活用度を高めるためにどうしたらよいか、という点も重要になってきます。

データ分析はサイエンス、データ活用はアート

本書では、ここまで主に「データ分析」について説明してきました。

データ分析とは、データを処理したり、わかりやすく可視化したりする段階のことです。

分析の際にはエクセルやプログラミングなどの「スキル」が必要になります。こうしたスキルは、頑張り次第では短期間でも習得することができます。

また、データ分析にはある程度の「正解」があります。

たとえば、ピッチャーが投げる球種の割合をわかりやすく示したければ円グラフが最適ですし、ピッチャーのイニングごとのストレートの球速を可視化するには折れ線グラフが最適です。

このようにデータ分析という仕事は、前提となるスキルを学習したうえで論理的な正解を導き出していく、まさに「サイエンス」そのものだと思います。

一方で、分析したデータから得られた知見をチームに実装していく過程を、「データ活用」と名づけましょう。

データ活用の仕事では、エクセルやプログラミングなどのスキルではなく、選手との信頼関係という極めてアナログで感情的な部分が必要とされます。

たとえば、あなたの所属する会社に、突然見知らぬデータアナリストが来て、「この会社はここの戦略が間違っている」とか、「データから見るとこういった製品が売れるはず」と言ってきたとしましょう。

それがどんなに優秀だと評判のアナリストだったとしても、パッとデータだけを見ていきなりそんなことを言ってこられたら、なかなか聞く耳を持てないのではないでしょうか。

そのため、どんなに高いデータ分析の能力を持っていても、選手との信

頼関係という部分が欠けていては、その分析を実際に活用することができません。

　また、エクセルやプログラミングなどのスキルは短期でも習得できますが、相手との信頼関係は短期では構築できません。必要な時間という点では、データ分析とデータ活用で大きな違いがあるのです。

　さらに、データ活用にはデータ分析と違って「正解」がありません。

　たとえば「今シーズンの3試合では全て試合の1球目にストレートを投げている」というデータがあったとして、それを自分のチームの先頭打者に伝えるでしょうか。あるいは、それをもとに「初球は必ずストレートがくるから狙え」と指示を出すでしょうか。

　たまたま3試合連続で初球ストレートだっただけかもしれませんから、それを伝えるかどうか、さらにそこから具体的なプレーの指示を出すかどうか、というところに正解は存在しないのです。

　先ほども書きましたが、データアナリストにとってもっとも怖いのは信頼を失うことです。軽率に「初球は必ずストレートがくるから狙え」という指示を出して外れたりすると、だんだん信頼を失ってデータ自体を活用してもらえなくなってしまいます。

　このようにデータ活用の仕事は、時間をかけて相手との感情的な紐帯を築き、正解がない中で何をどのように伝えていくか決断していく、まさに「アート」そのものだと思います。

　分析した結果を実装していく「データ活用」のやり方には正解がありません。状況に応じて最適解が変わってくるからです。

　ここからはデータの活用度を高めるために私が気をつけている点を、分析前と分析後に分けてご紹介します。

あくまで参考例の1つと捉え、
自分なりの最適解を見つけていくための
ヒントにしてみてください

5-2 分析前

 ## イシューを見極める

　安宅和人さんが書かれた『イシューからはじめよ』という本がありますが、その中で出てくるのがこの「イシュー」という概念です。

　「イシュー」とは、ひと言で説明すると、本当に解くべき課題のことです。この「イシューからはじめよ」では、仕事の価値が次のように定義されています。

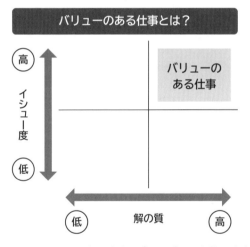

※出典『イシューからはじめよ──知的生産の「シンプルな本質」』安宅和人、英治出版、2010 年 11 月

すなわち、「イシュー度」（解決する課題の重要度）と「解の質」（どこまで明確に答えを出せるか）によって、アウトプットの価値が決まってくるというわけです。

　私がここまで紹介してきたプログラミング等のノウハウは、基本的に「解の質」を高めるものですが、そもそも「イシュー度」の高い本質的な課題設定ができていなければ、価値の高いアウトプットを出すことはできません。
　したがって、分析に手をつける前の段階として、いかに重要度の高い課題を設定できるか、というところが大きなポイントになってきます。

イシュー設定に必要な「要素還元的思考」

　では、より重要度の高い課題設定を行なうためにはどうすればよいのでしょうか。
　１つのアプローチとしてヒントになるのが、「要素還元的思考」です。「要素還元的思考」とは、抽象的な課題を細かい要素に分解して解像度を上げていく方法のことです。
　たとえば「野球チームの勝率を上げる」という課題があるとします。
　野球の試合では失点よりも得点が多いチームが勝つため、課題解決には「得点を増やす」「失点を減らす」の２通りのアプローチがあるわけです。
　したがって、他のチームと比べて得点数と失点数はどのくらいなのか、は分析する価値がありそうです。

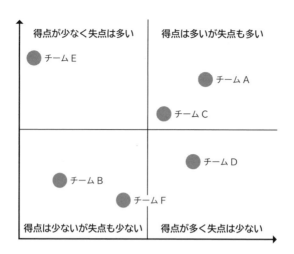

得点が少なく失点は多い
チーム E

得点は多いが失点も多い
チーム A
チーム C

チーム D

チーム B
チーム F

得点は少ないが失点も少ない　得点が多く失点は少ない

　この分析により、仮に失点が多いことが明らかになったとしましょう。次に知りたいのは「なぜ失点が多いのか」「どうしたら失点を減らせるか」という点ですね。

　失点につながる要素としては、「ヒットを多く打たれている」「フォアボールをたくさん出している」「ホームランを多く打たれている」「三振が取れていない」などが考えられます。
　したがって、過去のチーム成績を遡って、失点数とそれぞれの要素の関係の強さを調べてみるのも１つの手でしょう。
　失点と関係の強い要素がわかれば、さらにその要素を改善するための方法を分析することも可能です。

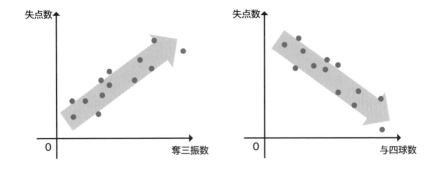

　このように「要素還元的思考」を利用すると、元々の大きな課題の構造を捉えながら課題を設定することができるため、課題が的外れなものになりづらくなります。

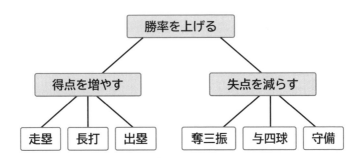

仮説を立てる

　解決すべきイシューが見つかったら、いざ分析、といきたいところですが、その前にやっておくべき大切な工程があります。

　何かというと、「仮説を立てる」ことです。

　課題がわかったのならすぐに手を動かしたほうがいいじゃないか、と思うかもしれませんが、仮説がないまま分析を進めようとすると、「解決したい課題はあるけれど何から分析してよいかわからない」という状態になってしまいがちです。

　正解でなくてもよいのでとりあえず自分なりの仮説を立てて、なんとなくの方向性を決めてから分析を始めたほうが、結果として効率的に進めることができます。

　そして仮説を立てるときに重要になるのが、いわゆる「ドメイン知識」と呼ばれるものです。

　「ドメイン知識」とは特定の分野における専門的な知識のことです。たとえば料理をするシェフであれば、食材の特性、調味料がもたらす効果、調理方法などについての専門知識のことをいいます。

　こうした背景の知識があることで、より筋のよい仮説を立てることができるのです。

　分析者自身が深いドメイン知識を持っていればベストですが、テーマによっては必ずしもそうとは限りません。そういった場合には、その分野について詳しい人から話を聞くことが非常に有効です。

　たとえば、以前私があまり知識のない医療分野に関する分析を行なった際には、まず実際に現場で働いているお医者さんのお話をたくさん聞かせていただくところからスタートしました。

　ドメイン知識に関してはその道のプロに勝る人はいませんし、プロならではの面白い仮説を持っていることもしばしばあります。

　分析に入る前にまずはプロへのインタビューから始める、というのもアリな方法でしょう。

5

データ分析を有効活用する「伝え方」

素材データの取得可能性と信頼性

　仮説を立てることができたら、検証に入る前に材料となるデータについての確認をしておきましょう。

　まずは当たり前ですが、データが収集可能かどうかを調べておく必要があります。自分の組織内でデータが揃う場合には問題ありませんが、外部から集めたり購入したりする場合には、そもそも入手できるかどうか、費用はどのくらいかかるのかを確認しておくべきでしょう。

　次に、それらのデータの信頼性についても確認しておかなければいけません。

　人力で取得したデータであれば、どのくらい正確性があるかは非常に重要ですし、機械的に集められたデータだとしても、誤差がどのくらいの精度に収まっているかを認識しておく必要があります。

 このように取得可能性と信頼性を確認できたら、いよいよ実際の分析に入ります

5-3 伝達時

 意思決定のフローを考える

　伝達時にまず考えるべきなのが、どのようなフローで意思決定がなされているか、ということです。

　具体的には「いつ・誰が・何をもとに」意思決定を行なっているかを考慮したうえで、分析結果を伝えることが大切になります。

　「いつ」については明確な日程や期限があるものもあれば、ぼんやりとしか存在しないこともあるでしょう。明確な日程や期限があるものについては、最低限そこに間に合わせなければいけないですし、タイミングが早すぎても遅すぎても有効活用しづらくなります。

　「誰が」は非常に重要です。1人で決めるパターンの場合にはわかりやすいですが、特にビジネスの場では複数人で決める場合も多いことでしょう。その場合、強い権限を持つキーパーソンがいたり、あるいは会議で決まっているように見えて、じつは事前の少人数の会合で概ね決まっていたり、ということもあるので、それらを踏まえたうえで適切な人物に分析結果を伝えることが大切になります。

　「何をもとに」については、意思決定の場で何が重要視されるかという文脈を把握する必要があります。合理的な数値を重要視する場合もあれば、現場で働く人の意向や感情などが大切になることもあるでしょう。数値が重要ならば統計的な根拠、現場で働く人の意向が大事であればアンケート結果、などのようにアピールすべきポイントが変わってくるのです。

5

データ分析を有効活用する「伝え方」

データ分析の結果を伝える際には、こうした意思決定のフローを把握したうえで、なるべく分析結果が有効活用されるように配慮しましょう。

そのためには、組織の構造や個々人の思惑などを知っておくことが重要であり、分析業務以外にも日頃からそういった情報を集めていくようなコミュニケーションが大切になってくるのです。

適切な情報量を考える

分析結果を伝達する際には、適切な情報量を考えることです。状況やニーズに応じて、相手がどのくらいの粒度で情報を欲しているかを汲み取る必要があります。

分析内容によっては、ざっくり結論がわかればOK、ということもあるでしょうし、逆に分析方法なども含めて細かく知りたい、ということもあるはずです。また同じ分析内容であっても、伝える相手によってどこまで知りたがるタイプかは人それぞれ異なります。

こうした文脈を踏まえて、結果を伝える際の情報量を検討する必要があります。

せっかく分析したのだからなるべく全て伝えてあげたい、という気持ちになることもあるかもしれませんが、分析の目的は伝えることではなく実行すること。伝達相手の意思決定や行動につながらなければ本末転倒です。

「相手を動かすためにはどのくらいの情報量がちょうどよいか?」を考えながらアウトプットするとよいでしょう!

必要なのは「理解」ではなく「納得」

データ分析により得られた知見を伝える際に忘れてはいけないのが、相手の「理解」よりも「納得」が必要だということです。

なぜなら、人は合理的な理由や論理的な説明を「理解」したとしても、感情的に「納得」しなければ行動に移すことはないからです。

実際のアクションにまでつなげるという意味では、極論「内容は難しいから理解できないけど、でも君がそう言うならやってみよう」でもよいのです。

　このような「納得」を得るためには、分析自体の内容や伝え方はもちろんですが、自分と伝達相手との関係性が非常に重要です。

　人は自分を理解し尊重してくれる人に対しては、「話を聞いてみよう」と心を開いてくれるものです。そのため、分析のスキル的な部分だけでなく、日頃から相手の意見に耳を傾け、コミュニケーションをとっておくとよいでしょう。

　今後はAIの発展などにより、分析の工程自体は自動化されていきます。エクセルの登場によりデータ分析の間口が広がったように、データ分析の敷居はどんどん下がっていくでしょう。

　そうした状況の中では、日頃から綿密なコミュニケーションをとり、相手を合理的に「理解」させるだけでなく、感情的にも「納得」してもらう関係性の構築が重要度を増していくと考えられます。

フィードバックの収集と活用

　テーマを設定してデータを収集し、分析して結果をまとめ、相手に結果を伝達するまでのプロセスは長く大変なことも多いです。伝達が終わった後にはかなりの達成感もあることでしょう。

　しかし、データ活用をより推進していくためには「伝えて終わり」ではいけません。伝達した分析結果について受け手からのフィードバックを収集し、今後の分析や伝達方法の改善に活かすことも大切です。伝達した相手からフィードバックを収集することで、理解度や不明点、疑問点などを知ることができ、さらなる追加分析を行なったり次回以降の伝え方を改善したりできるからです。

　たとえば分析結果を伝達する際に、一方的に話すのではなく意見交換を適宜行なうようにすることも有効です。説明している際に生じた疑問や意見を説明が全て終わるまで覚えているとは限りませんから、忘れないうちに発言してもらうとよいでしょう。また双方向のコミュニケーションをとりながら伝達することは、一方的に話し続けるよりも相手の集中力が維持されやすいため、そういった意味でもおすすめです。

　また、発言など明示的なフィードバックだけでなく、反応や表情など黙示的なフィードバックにも注目しておくとよいでしょう。意見を述べる際

には気をつかって同意しているものの本心ではあまり納得していない、といったケースもあります。そのため、相手の本当に思っていることを知るためには仕草や表情などからヒントを得る必要があるのです。

　このようにして相手のフィードバックを収集すると、新たな疑問点が生じることも多いです。その場で解決できる疑問であればなるべく答えられるとよいですが、そうでない場合は追加の分析を行ない、より深くそのテーマについて掘り下げていきましょう。1回の分析だけにとどまらず、仮説検証を繰り返していくことこそがデータを活用したプロジェクトの真髄ともいえます。

　また、相手から得られたフィードバックを次回の伝達時に活かしていくことも重要です。特にチームで分析プロジェクトを進めている場合には、相手からのフィードバックを共有し、次回への改善事項としてグループ内で共通認識を持っておくことが求められます。実際の受け手の声に耳を傾け、資料のボリュームや難易度、話し方、伝達形式などを継続的に改善していきましょう。

分析結果を活かすかどうかは
「伝え方」次第です。

5-4 実際の「伝え方」の事例

 「1行で伝える」ことを意識した相手レポート

　ここからは分析結果の伝え方について、私が経験した実践事例をいくつかご紹介します。

　大学の野球部では当時、試合の3日ほど前にミーティングを開き、相手の投手や打者に関するデータの共有と確認を行なっていました。ミーティングに際して、アナリストからはデータをまとめた資料をつくるのですが、そこで意識していたのが、情報をできる限り「1行で伝える」という点でした。

　投手1人についても、投球フォーム、球種の割合、各球種のスピードと軌道、打者の左右別の攻め方、ピンチでの傾向、など役に立ちそうな情報は山ほどあります。情報を知っておいて損はないのだから、ミーティングの資料にはなるべくたくさんの情報を入れておきたいところです。まして野球部の部員はみんな東大生なのだから、情報を頭に入れることはたやすいことだろう、と思うかもしれません。

　しかし、実際にスポーツをやっていた方なら共感されるかと思いますが、大切な試合で実際にプレーしているときは、緊張や周りの雰囲気などの影響も受けるため普段のように冷静に頭を働かせることは難しいものです。また、試合における場面や当日の自分の調子、相手の状態、雰囲気など、実際の試合の中で感じたり考えたりしなければいけないこともたくさんあります。

　そうした状況の中では、事前にたくさんのデータを頭に入れたとしてもほとんど活用できなかったり、かえって迷いの元になってしまったりすることも多いのです。

　そうなるくらいなら、情報量自体は少なかったとしても試合の中でしっ

かりと活用できるレポートにしたほうが選手のためになるだろうということで、盛り込むのは本当に重要な情報のみに絞って「1行で伝える」ことを目標にしていたのです。

　ビジネスの世界でデータ分析の結果を伝える際にも、相手がどのくらいの知識を有しているか、どのような場面で活用されるか、などによって盛り込むべき内容やボリュームなどは変わってくることでしょう。自分目線ではなく相手の目線に立って適切な伝え方を検討するプロセスは、せっかくのデータ分析を活かすためにも非常に重要な役割になると思います。

あえて外部に公開したブログ

　私が東大でアナリストとして活動し始めた当初、自分の中ではこういう戦い方をすればもう少し勝てるようになるかもしれないというアイデアはあったのですが、それをどのようにチームに伝えていくかという部分で悩んでいました。

　身近な人に少しずつ話していくようなやり方ではスピード感に欠けますし、かといって100人単位のチームで全員が議論できるような機会はなかなかありません。

　そこで利用したのがnoteというブログサービスでした。

　データ分析から得られた知見をあえてインターネット上に公開し、関心を持ってくれる人が自由に読んで議論することでチームに伝わっていったらいいな、という波及効果を狙った作戦です。また野球部とは関係のない外部からのフィードバックをもらえることで、アイデアをアップデートしていけるかなという考えもありました。

　結果としてそれなりに多くの人が読んでくださり、チーム内での議論のきっかけとすることができました。

　ブログで公開することで間接的に分析結果を伝えるというやり方はたまたまうまくいったレアケースであり、再現性の低い方法だと思います。いま考えればもっとよい方法もあったことでしょう。

　とはいえ直接的に押しつけるような形になることを避け、なんとなく目につくような仕掛けを作ることで間接的にふんわり伝える、という方法も時には有効になるのです。

エピローグ

　この本のページをめくるたびに、あなたはプログラミングという新たな世界へ一歩ずつ歩みを進めてきました。最初は遠く難しく感じたプログラミングの世界が、今では手の届くところにあります。

　コードを書いて実行し、プログラミングの楽しさを感じることができたなら、本書の目的は達成されたと言えるでしょう。

　この本では、野球という身近なテーマを通じてデータを分析することで、プログラミングの楽しさと実用性を体験していただきました。分析前の準備からデータの処理、そしてデータの可視化までを自分の手で実行することができたのですから、プログラミングを通じたデータ分析を行なうためのノウハウはひと通り習得できているはずです。

　ここまでの努力に自信を持って、身につけたスキルをどんどん活用していってください。

　プログラミングの世界は広大であり、プログラミングによって実現できることはたくさんあります。この本を読み終えたあなたは、さらなる探求の旅に出る準備が整いました。

　アプリ開発、データ分析、さらにはAI開発など、応用範囲は無限に広がっています。ぜひ自分の興味の赴くままに、進んでいってください。

　本書を通して伝えたかったメッセージとして、プログラミングは

完璧を求めるものではありません。

　大事なのは、トライアンドエラーを恐れずに「手を動かしてやってみる」こと。

　試行錯誤し、エラーメッセージと格闘する経験は一見遠回りにも思えますが、プログラミングを習得するうえで、じつは近道になるのです。

　テクノロジーは日進月歩で進化し続けており、そのスピードは今後も加速していくことでしょう。人工知能の発展が進み、近いうちにはプログラミングの作業自体も代替されていくことが予想されます。スキルとしてのプログラミングの賞味期限は、もうさほど長くないでしょう。

　しかし、本書を通して身につけたのは、プログラミングのスキルだけではありません。「新しいことを学ぶ」という経験もできたはずです。

　失敗を恐れず、新しいことにチャレンジして学んでいく力は、何よりも高い汎用性を持っています。このエネルギーさえあれば、世界がどう変わっても、楽しく創造的に生きていけることでしょう。プログラミングのスキルはもちろんですが、この本がプログラミングに限らず新しいことにチャレンジしていくきっかけとなれば、これほど嬉しいことはありません。

　最後になりますが、本書の編集を担当してくださった日本実業出版社の前田千明さんには大変お世話になりました。構成や内容について幾度となくご相談させていただきましたが、そのたびに的確な

アドバイスでより良い方向へと導いてくださいました。原稿が締切ギリギリになったり、勝手な要望をたくさん聞いていただいたりと、たくさんご迷惑をおかけしたかと思いますが、いつもご丁寧に対応していただき本当に助かりました。この場を借りて感謝申し上げます。

　また、私がプログラミングやデータ分析の世界に関心を持つきっかけをくださった皆様にも感謝の気持ちでいっぱいです。東大野球部のみんなは、アナリストとしての活動に対して全面的に協力してくれました。

　他にも野球を通じて知り合ったたくさんの方々は、野球とデータの組み合わせが生み出す面白さを教えてくださいました。
　特に、大学時代からさまざまなアドバイスをしてくださった今泉さんには、本書の校正もご担当いただきました。
　なかにはSNS上でしか接点がない方もいらっしゃいますが、空間を共有せずともたくさんの影響を受けました。みなさんがいなければ、私はプログラミングに興味を持つことも、今の仕事につくことも、この本を執筆することもなかったでしょう。素敵なご縁をいただいたことに感謝しております。

　さらに友人や家族には、本書の内容はもちろん、あらゆる相談に乗ってもらいました。みなさんの支えがなければ、1冊の本を作り上げることなど到底できなかったことでしょう。
　本書はそうした方々との共著だと思っております。本当にありがとうございました。

INDEX

齋藤 周（さいとう あまね）

福岡ソフトバンクホークス・GM付データ分析担当。株式会社
アマテクノ代表取締役。2000年生まれ。東大野球部に入部し
2年生の新人戦では主将も務めたが、怪我の影響で2年秋から
学生コーチ、3年秋からはアナリストを兼任。データ活用戦略
を立て、足を使った攻撃や相手打者に応じた守備位置を研究。
六大学春季リーグの最終戦で法政大学に勝ち、東京六大学野球
リーグ戦の連敗を64で止める。「競技プログラミング」コンテ
ストの入賞がきっかけで、センサー機器大手「キーエンス」か
らオファーがあり内定するも、SNSの発信がきっかけでソフト
バンクからも声がかかり現職。X（旧Twitter）やnoteを通じ
てデータ分析に関する知見を積極的に発信している。

野球データでやさしく学べるPython入門

2023年12月20日　初版発行
2024年2月1日　第2刷発行

著　者　齋藤　周　©A.Saito 2023
発行者　杉本淳一

発行所　株式
　　　　会社　日本実業出版社　東京都新宿区市谷本村町3−29 〒162-0845

　　　　編集部　☎03-3268-5651
　　　　営業部　☎03-3268-5161　振替　00170-1-25349
　　　　　　　　　　　　　　　　　https://www.njg.co.jp/

印刷／壮光舎　　製本／若林製本

ISBN 978-4-534-06067-9　Printed in JAPAN